Dunkel war's, der Mond schien helle

DUNKEL WAR'S, DER MOND SCHIEN HELLE

Verse, Reime und Gedichte

Gesammelt von Edmund Jacoby
Mit Bildern von Rotraut Susanne Berner

Gerstenberg Verlag

Bibliografische Information Der Deutschen Bibliothek
Die Deutsche Bibliothek verzeichnet diese Publikation in der Deutschen
Nationalbibliografie; detaillierte bibliografische Daten sind
im Internet über *http://dnb.ddb.de* abrufbar.

Copyright © 1999 Gerstenberg Verlag, Hildesheim
Alle Rechte vorbehalten
Einbandgestaltung und Layout: Rotraut Susanne Berner
Satz: Fotosatz Ressemann, Hochstadt
Reproduktion: Photolitho AG, Gossau
Druck bei Canale, Torino
Printed in Italy
ISBN 3-8067-4285-5

03   04   05   06   07   11   10   9   8   7

INHALT

SPRACHMUSIK

SPIELEN

VERWIRR-REIME

KINDERWELT

TIERE

NATUR

NACHDENKEN

LIEBE

GESCHICHTEN – GEDICHTE

VORWORT

Dunkel war's, der Mond schien helle – wer erinnerte sich nicht an dieses Lügengedicht. Lügengedicht? Nein, das ist nicht wahr! Hier wird nur wunderbar vorgeführt, wie Poesie funktioniert! Reim und Rhythmus zaubern eine Atmosphäre herbei, die auch das Unwahrscheinlichste wirklich werden läßt: Natürlich kann es stockfinster sein, auch wenn der Mond hell scheint – nur nicht auf einen Blick. Genauso kann *ein Auto blitzeschnelle / langsam um die Ecke* fahren … Ein Gedicht kann Raum und Zeit und Ereignisse zusammenziehen und unsere Wahrnehmungen und Empfindungen verdichten. Und weil in ihm so viel auf einmal passiert, macht es die Welt ereignisreicher, größer.

Was die Sprache der Gedichte mit uns anstellt, wenn sie uns aus der üblichen ordentlichen Welt in ihre viel dichtere entführt, ist schiere Zauberei. Und Gedichte hatten von Anfang an den Zweck, bezaubernd zu sein: Das französische Wort für Zauber, *Charme*, bedeutete ursprünglich nichts anderes als „Gedicht" oder „Lied". Lied und Gedicht wiederum haben dieselbe Wurzel, denn jedes Gedicht lebt vom Klang und vom Rhythmus. Jedes Kind kennt halb gesungene, halb gesprochene Zauberverse: *I–a–u / Raus bist du* – das ist das Urteil einer höheren Instanz, dem niemand sich entziehen kann.

Am reinsten kommt die Magie von Vers und Rhythmus zutage, wenn alle Wortinhalte weggelassen sind, wie bei vielen Abzählreimen oder den Lautgedichten der Dadaisten. Christian Morgenstern mit seinem *großen Lalula* und Lewis Carroll mit seiner Ballade vom *Zipferlaken* haben dem noch eins hinzugefügt: Sie suggerieren, daß uns eine ganze Geschichte erzählt wird, wenn sie die überlieferten Formen von Volkslied und Ballade mit klangvollen Lauten füllen. Wie bei bruchstückhaften Bildern oder Musikwiedergaben ergänzt unser Gehirn von selbst das Fehlende, nämlich die Handlung: Unser Kopf dichtet einfach weiter. Sogar des Fisches stummer *Nachtgesang* bekommt in unserem Kopf eine Melodie – und da sollen nicht Leute *schweigend ins Gespräch vertieft* sein können?

Wo mit Worten gesungen und gehext wird, entsteht ein Spiel: Gedichte sind stets ein Spiel mit der Sprache und ihren Möglichkeiten. Wir spielen Ringelreihen, wir spielen Zungenbrechen, wir spielen mit Endlosschleifen in Gedichten, wir spielen Lügen, Spotten und Schimpfen. Kinder spielen Großsein, Erwachsene spielen Kindsein, und zusammen machen sie aus Spielen, Liedern und Gedichten ganze Feste, wie zu Weihnachten und an Geburtstagen.

Spielerisch werden in Gedichten Raum und Zeit, Leben und Sterben, die ganze Natur und immer zugleich auch unsere Innenwelt erkundet. Tiere etwa sind nicht einfach nur Tiere, sondern verkörpern unsere witzigen Ideen und dummen Gewohnheiten oder auch die beklemmenden Gefühle, die wir ihnen aufladen, wie dem *Panther* Rilkes. Ein richtiges Gedichtkrokodil muß auch Flügel haben, denn eigentlich ist es ein Drachen; der *Werwolf* kann ein rein grammatisches Tier sein, und Kuckuck und Esel, Huhn und Karpfen werfen sich an den Kopf, was wir einander nicht immer sagen mögen. Und bei all dem soll es nicht wahr sein, wenn *ein totgeschoßner Hase / auf der Sandbank Schlittschuh* läuft?

Ganz ernst wird das dichterische Spiel mit der Sprache, wenn es
um die Liebe geht, denn dann drängt es uns am heftigsten, das gar
nicht richtig Sagbare zum Ausdruck zu bringen. Nur ein Gedicht
kann wenigstens andeutungsweise die geliebte Person richtig
beschreiben, mit all dem, was wir in sie hineindeuten: *O du, Geliebte
meiner siebenundzwanzig Sinne …* Und der Geliebte, könnte er nicht
ein *blondgelockter Jüngling / mit kohlrabenschwarzem Haar* sein?

Kohlrabenschwarz ist auch die Atmosphäre vieler Balladen: *Die
Mitternacht zog näher schon / in stummer Ruh lag Babylon …* Die Angst
wird greifbar, die das Abenteuer stets begleitet, die immer da ist,
wenn wir Neuland betreten. Doch in der Finsternis scheint immer
auch ein Licht: *Dunkel war's,* doch *der Mond schien helle …*

Die vorliegende Sammlung von alten und neuen, bekannten und
unbekannten, lustigen und nachdenklichen Versen, Reimen und
Gedichten will Türen öffnen zu der magischen Welt der Poesie, für
Kinder, die sie kennenlernen wollen, und für Erwachsene, die sie
dabei an die Hand nehmen, sich erinnern und neue Entdeckungen
machen möchten. Die Schlüssel zur Bilderwelt der Sprache sind
dabei die Bilder von Rotraut Susanne Berner.

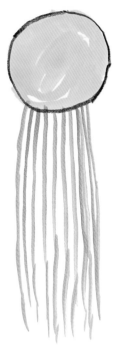

Wolken

elomen elomen lefitalominai
wolminuscaio
baumbala bunga
acycam glastula feirofim flinsi

elominuscula pluplubasch
rallalalaio
endremin saxassa flumen flobollala
feilobasch falljada follidi
flumbasch

cerobadadrada
gragluda gligloda glodasch
gluglamen gloglada gleroda glandridi

elomen elomen lefitalominai
wolminuscaio
baumbala bunga
acycam glastala feirofim blisti
elominuscula pluplusch
rallabataio

Hugo Ball

Ele mele mink mank
Pink pank
Use buse ackadeia
Eia weia weg

Enne denne
Dubbe denne
Dubbe denne dalia
Ebbe bebbe bembio
Bio bio buff

Anege hanege
serege sirige
ripeti pipeti knoll.

Eni beni suptraheni,
divi davi domi neni,
ecca brocca, casa nocca,
zingele, zangele, dus.

Karawane

jolifanto bambla ô falli bambla
grossiga m'pfa habla horem
égiga goramen
higo bloiko russula huju
hollaka hollala
anlogo bung
blago bung
blago bung
bosso fataka
ü üü ü
schampa wulla wussa ólobo
hej tatta gôrem
eschige zunbada
wulubu ssubudu uluw ssubudu
tumba ba- umf
kusagauma
ba – umf

Hugo Ball

Seepferdchen und Flugfische

tressli bessli nebogen leila
flusch kata
ballubasch
zack hitti zopp

zack hitti zopp
hitti betzli betzli
prusch kata
ballubasch
fasch kitti bimm

zitti kitillabi billabi billabi
zikko di zakkobam
fisch kitt bisch

Hugo Ball

Katzen und Pfauen

baubo sbugi ninga gloffa

siwi faffa
sbugi faffa
olofa fafamo
faufo halja finj

sirgi ninga banja sbugi
halja hanja golja biddim

mâ mâ
piaûpa
mjâma

pawapa baungo sbugi
ninga
gloffalor

Hugo Ball

Die polizei

Die polizei
hei hei
die polizei
die zeilipop
ziz ziz
zilillipop
pi piloz i
zolipipi
poplozipop
hei hei
die polizei
die polizei
zeizizili
polizpopi
ei zolipei
peizi popei
die polizei
zei zei
hei hei
die polizei
vorbei.

Dieter Wyss

Das große Lalula

Kroklokwafzi? Semememi!
Seiokrontro – prafriplo:
Bifzi, bafzi; hulalemi:
quasti basti bo …
Lalu lalu lalu lalu la!

Hontraruru miromente
zasku zes rü rü?
Entepente, leiolente
klekwapufzi lü?
Lalu lalu lalu lalu la!

Simarar kos malzipempu
silzuzankunkrei!
Marjomar dos: Quempu Lempu
Siri Suri Sei!
Lalu lalu lalu lalu la!

Christian Morgenstern

Ottos mops

ottos mops trotzt
otto: fort mops fort
ottos mops hopst fort
otto: soso

otto holt koks
otto holt obst
otto horcht
otto: mops mops
otto hofft

ottos mops klopft
otto: komm mops komm
ottos mops kommt
ottos mops kotzt
otto: ogottogott

ernst jandl

Fisches Nachtgesang

Christian Morgenstern

Achterbahnträume

8
W8soldaten
bew8en
W8eln in Sch8eln
und d8en:
„Auf der W8
um Mittern8
werden Feuer entf8
und die W8eln
geschl8et.
Wir haben lange genug geschm8et.“

„8ung“,
d8en die W8eln,
„wir öffnen mit Sp8eln
die Sch8eln,
denn der Verd8,
daß man uns hinm8,
ist angebr8“,
und entflogen s8,
abends um
8

Hans Manz

Frau von Hagen,
darf ich's wagen,
Sie zu fragen,
wieviel Kragen
Sie getragen,
als Sie lagen
krank am Magen
im Spital zu Kopenhagen?

Der Leutnant von Leuthen
Befahl seinen Leuten
Nicht eher zu läuten
Bis der Leutnant von Leuthen
Seinen Leuten
Das Läuten befahl

Ich ess' nicht Essig!
Ess' ich Essig,
ess' ich Essig
im Salat.

Geschütteltes

Du sollst dein krankes Nierenbecken
Nicht mit zu kalten Bieren necken.

Auch müßtest du bei Magenleiden
Den Wein aus sauren Lagen meiden.

Glaub nicht, daß alle Zungen lügen,
Die warnen vor den Lungenzügen.

Auf Pille nicht noch Salbe hoff,
Wer täglich dreizehn Halbe soff.

Wer kann mit frohem Herzen schmausen,
Wenn tief im Stockzahn Schmerzen hausen?

Du spürst der ganzen Sippe Groll
Die pflegen dich bei Grippe soll.

Statt jeden, der noch lacht, zu neiden,
Am Neid dann Tag und Nacht zu leiden,
Sich Kummer, weil man litt, zu machen:
Ist's besser, selbst gleich mitzulachen.

Eugen Roth

Es klapperten die Klapperschlangen,
bis ihre Klappern schlapper klangen.

Das Hausgesinde

‚Wo must du henne?‘ ‚Nah *Walpe*.‘ ‚Ick nah Walpe, du nah Walpe; sam, sam, goh wie dann.‘

‚Häst du auck 'n Mann? wie hedd din Mann?‘ ‚*Cham*.‘ ‚Min Mann Cham, din Mann Cham: ick nah Walpe, du nah Walpe; sam, sam, goh wie dann.‘

‚Häst du auck 'n Kind? wie hedd din Kind?‘ ‚*Grind*.‘ ‚Min Kind Grind, din Kind Grind: min Mann Cham, din Mann Cham: ick nah Walpe, du nah Walpe; sam, sam, goh wie dann.‘

‚Häst du auck 'ne Weige? wie hedd dine Weige?‘ ‚*Hippodeige*.‘ ‚Mine Weige Hippodeige, dine Weige Hippodeige: min Kind Grind, din Kind Grind: min Mann Cham, din Mann Cham: ick nah Walpe, du nah Walpe; sam, sam, goh wie dann.‘

‚Häst du auck 'n Knecht? wie hedd din Knecht?‘ ‚*Machmirsrecht*.‘

‚Min Knecht Machmirsrecht, din Knecht Machmirsrecht: mine Weige Hippodeige, dine Weige Hippodeige: min Kind Grind, din Kind Grind: min Mann Cham, din Mann Cham: ick nah Walpe, du nach Walpe; sam, sam, goh wie dann.‘

Brüder Grimm

Es war einmal ein Mann,
der hatte drei Söhne.
Der eine hieß Schack,
der andre hieß Schackschawwerack,
der dritte hieß Schackschawwerackschackommini.
Nun war da auch eine Frau,
die hatte drei Töchter.
Die erste hieß Sipp,
die andre hieß Sippsiwwelipp,
die dritte hieß Sippsiwwelippsippelimmini.
Und Schack nahm die Sipp,
Und Schackschawwerack nahm Sippsiwwelipp,
und Schackschawwerackschackommini
nahm Sippsiwwelippsippelimmini zur Frau.

Wenn die Möpse Schnäpse trinken

Wenn die
Möpse
Schnäpse
Trinken,
Wenn vorm
Spiegel
Igel
Stehn,
Wenn vor
Föhren
Bären
Winken,
Wenn die
Ochsen
Boxen
Gehn,
Wenn im
Schlafe
Schafe
Blöken,
Wenn im
Tal
Ein Wal
Erscheint.
Wenn in
Wecken
Schnecken
Stecken,

Wenn die
Meise
Leise
Weint,
Wenn Gi-
raffen
Affen
Fangen,
Wenn ein
Mäuslein
Läuslein
Wiegt,
Wenn an
Stangen
Schlangen
Hangen,
Wenn der
Biber
Fieber
Kriegt,
Dann
Entsteht zwar
Ein Gedicht,
Aber
Sinnvoll
Ist es
Nicht!

James Krüss

Übers Dichten

Mein Freund Wilfrid sagt,
ich soll mal Silben zählen.
Mein Freund Wilfrid klagt,
ich würd nur Wörter quälen –
ich glaube, Wilfrid, der hat recht:
dichten kann ich wirklich schlecht.

Das ästhetische Wiesel

Ein Wiesel
saß auf einem Kiesel
inmitten Bachgeriesel.

Wißt ihr,
weshalb?

Das Mondkalb
verriet es mir
im stillen:

Das raffinier-
te Tier
tat's um des Reimes willen.
Christian Morgenstern

Aber Wilfrid
der ist schlau,
denn Wilfrid
weiß genau:
Sau
reimt sich auf blau.
Aber schreibt man's hinternander hin,
macht es keinen rechten Sinn:
Es war einmal 'ne Sau
die war blau …

Moment, das ist doch gar nicht schlecht,
das bieg ich mir schon noch zurecht,
und mach ein richtiges Gedicht.
Und Wilfrid?
Macht wieder ein langes Gesicht –
Es war einmal 'ne Sau
die war blau
blau wollte sie nicht sein,
da wurde sie ein rosa Schwein.
Wolfram Hänel

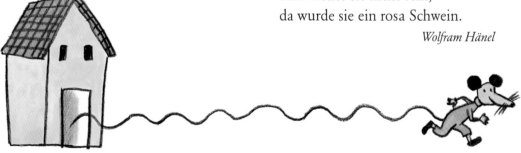

Das Scheitern einer Ballade
Eine Ballade

Fürst Friedrich stand im Krönungssaal,
wie leuchtete sein Ohr so fahl!

Und jeder, der es sah, erschrak,
weil in ihm so viel Fahlheit lag.

„Lag"? Sagt man da nicht besser „schwang"?
Fürst Friedrichs Herz schlägt wild und bang.

„Schwang"? Stimmt es denn, daß Fahlheit schwingt?
Fürst Friedrich sieht sich jäh umringt.

Was macht denn Fahlheit? Schimmert sie?
Fürst Friedrich beugt sein rechtes Knie.

Nein, nein, sie schimmert nicht, sie glänzt!
Fürst Friedrich wird mit Laub bekränzt.

„Glänzt" – ist das schon das rechte Wort?
Laut lärmend zieht die Meute fort.

Halt! Fahlheit glänzt nicht, Fahlheit – na!
Moment – ist denn kein Fürst mehr da?

Wo ist der Fürst, verdammt noch mal?
Verlassen liegt der Krönungssaal,

aus dem nun auch noch der Poet,
ein Murmeln auf den Lippen, geht:

„Wie ist denn Fahlheit? Außer fahl?
Na ja. Egal. Ein andermal!"

Robert Gernhardt

SPIELEN

Eine kleine Zipfelmütze
geht in unserm Kreis herum.
Dreimal drei ist neune,
ihr wißt ja wie ich's meine,
dreimal drei ist neun,
und eins dazu ist zehn,
Zipfelmütz, bleib stehn, bleib stehn!
Sie schüttelt sich,
sie rüttelt sich,
sie wirft ihr Säcklein hinter sich,
sie klatschen in die Hand:
Wir beide sind verwandt.

Ri ra rutsch,
wir fahren mit der Kutsch,
wir fahren mit der Schneckenpost,
wo es keinen Pfennig kost,
ri ra rutsch,
wir fahren mit der Kutsch.

Ringel rangel Rosen,
schöne Aprikosen,
Veilchen blau, Vergißmeinnicht,
alle Kinder setzen sich.
Kikeriki!

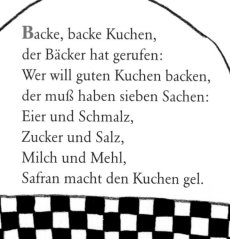

Backe, backe Kuchen,
der Bäcker hat gerufen:
Wer will guten Kuchen backen,
der muß haben sieben Sachen:
Eier und Schmalz,
Zucker und Salz,
Milch und Mehl,
Safran macht den Kuchen gel.

Auf einem Gummi-Gummi-Berg,
da wohnt ein Gummi-Gummi-Zwerg,
der Gummi-Gummi-Zwerg
hat eine Gummi-Gummi-Frau,
die Gummi-Gummi-Frau
hat ein Gummi-Gummi-Kind,
das Gummi-Gummi-Kind
hat ein Gummi-Gummi-Kleid,
das Gummi-Gummi-Kleid
hat ein Gummi-Gummi-Loch,
und du bist es doch!

Eine kleine Dickmadam
Fuhr mal mit der Eisenbahn
Eisenbahn die krachte
Dickmadam die lachte
Setzte sich ins grüne Gras
Machte sich die Hosen naß
I – a – u
Raus bist du

Eine kleine Micki
Muß mal Pipi
Macht vorbei
Du bist frei

Ene dene dorz
De Deiwel läßt 'n Forz
Läßt en in die Hose
Stinkt nach Aprikose
Läßt en widder naus
Un du bis draus

Ene mene mopel
Wer frißt Popel
Süß und saftig
Einemarkundachtzig
Einemarkundzehn
Und du kannst gehn

Was wollen wir machen?
Auf dem Kopf stehen und lachen
Was wollen wir spielen?
Auf dem Kopf stehen und schielen
Was wollen wir tun?
Auf dem Kopf stehen und ruhn

Wie kommt Kuhscheiß aufs Dach?
Hat sich Kuh auf Schwanz geschissen,
Rumgedreht und raufgeschmissen

Was ist los?
Dein Knopf an der Hos
Was ist los?
Alles, was nicht angebunden ist

Warum, warum
Ist die Banane krumm?
Ja, wenn die Banane grade wär,
Dann wär es keine Banane mehr

Warum, warum
Ist die Banane krumm?
Weil niemand in den Urwald zog
Und die Banane gradebog

Was ist das?
Hängt an der Wand
und macht tick-tack,
und wenn's runterfällt,
ist die Uhr kaputt

Kennst du's?

Von Muschel zu Muschel
lauter Getuschel,
lauter Gequassel,
lauter Schlamassel,
lauter Gequak –
und das jeden Tag!

Telefon

Ortfried Pörsel

Ihr lieben Leut,
was dies bedeut'?
Hat sieben Häut,
beißt alle Leut?

Zwiebel

Was ist das?
Hängt an der Wand,
hat den Hintern verbrannt?

Bratpfanne

Ich gehe alle Tage aus
und bleibe doch in meinem Haus.

Schnecke

Möcht wohl wissen, wer das ist,
der immer mit zwei Löffeln frißt.

Hase

Ein Männlein steht im Walde
Ganz still und stumm,
Es hat von lauter Purpur
Ein Mäntlein um.
Sagt, wer mag das Männlein sein,
Das da steht im Wald allein
Mit dem purpurroten Mäntelein?

Ein Männlein steht im Walde
Auf einem Bein,
Es hat auf seinem Haupte
Schwarz Käpplein klein.
Sagt, wer mag das Männlein sein,
Das da steht im Wald allein
Mit dem kleinen schwarzen Käppelein?

Das Männlein dort auf einem Bein,
Mit seinem roten Mäntelein
Und seinem schwarzen Käppelein,
Kann nur die Hagebutte sein!

In der bimbambolischen Kirche
geht es bimbambolisch zu:
tanzt der bimbambolische Ochse
mit der bimbambolischen Kuh.
Und die bimbambolische Mutter
kocht den bimbambolischen Brei,
und die bimbambolischen Kinder
fassen mit den Fingern drein.

Salomo der Weise spricht:
Laute Fürze stinken nicht.
Aber die so leise schleichen
Stinken bis zum Steinerweichen.

Ich bin der Herr Pastor
und predige euch was vor
von Maria Zwiebel
aus der dicken Bibel.
Und wenn ich nicht mehr weiter kann,
dann steck ich mir ein Pfeifchen an.

Kaiser, König, Edelmann,
Bürger, Bauer, Bettelmann,
Schuster, Schneider, Leineweber,
Doktor, Kaufmann, Totengräber.

Goldschuh, Silberschuh,
Lackschuh, Kackschuh.

Verliebt, verlobt, verheirat', geschieden.

Fünf Engele haben gsungen,
fünf Engele kommen gsprungen.
Das erste blästs Feuerle an,
das zweite stellts Pfännle dran,
das dritte schütts Teigle drein,
das vierte tut brav Zucker nein,
das fünfte sagt, sist angericht,
jetzt, mein Büble, brenn dich nicht!

A b c,
die Katze lief im Schnee.
Als sie wieder raus kam,
hat sie weiße Stiefel an.
Da ging der Schnee hinweg,
da lief die Katz im Dreck.

Morgens früh um sechs
kommt die kleine Hex;
morgens früh um sieben
schabt sie gelbe Rüben;
morgens früh um acht
wird der Kaffee gemacht;
morgens früh um neune
geht sie in die Scheune;
morgens früh um zehne
holt sie Holz und Späne;
feuert an um elfe,
kocht sie bis um zwölfe
Fröschebein und Krebs und Fisch.
Hurtig, Kinder, kommt zu Tisch!

Liedchen aus alter Zeit
(nicht mehr zu singen!)

Eins. Zwei. Drei. Vier.
Vater braucht ein Bier.
Vier. Drei. Zwei. Eins.
Mutter braucht keins.

Bertolt Brecht

In Ulm und um Ulm
und um Ulm herum.

Hinter Hermanns Hannes' Haus
hängen hundert Hemden raus.
Hundert Hemden hängen raus
hinter Hermanns Hannes' Haus.

Hansen Hansens Hans hackte Holz.
Hätte Hansens Hannchen
Hansen Hansens Hans Holz hacken hören,
hätte Hansens Hannchen
Hansen Hansens Hans Holz hacken helfen.

Fischers Fritz fischt frische Fische,
frische Fische fischt Fischers Fritz.

Blaukraut bleibt Blaukraut
und Brautkleid bleibt Brautkleid.

Zwischen zwei Zwetschenzweigen
zwitschern zwei Schwalben.

Die Katze tritt die Treppe krumm.

Das hölzerne Männlein

Das ist das hölzerne Männlein.

Das ist das Haus des hölzernen Männleins.

Das ist die Tür zum Haus des hölzernen Männleins.

Das ist das Schloß an der Tür zum Haus des hölzernen Männleins.

Das ist der Schlüssel zum Schloß an der Tür zum Haus des hölzernen Männleins.

Das ist das Band am Schlüssel zum Schloß an der Tür zum Haus des hölzernen Männleins.

Das ist die Maus, die zernagte
das Band am Schlüssel zum Schloß an der Tür zum Haus des hölzernen Männleins.

Das ist die Katze, die fraß
die Maus, die zernagte
das Band am Schlüssel zum Schloß an der Tür zum Haus des hölzernen Männleins.

Das ist der Hund, der biß
die Katze, die fraß
die Maus, die zernagte
das Band am Schlüssel zum Schloß an der Tür zum Haus des hölzernen Männleins.

Das ist der Prügel, der prügelte
den Hund, der biß
die Katze, die fraß
die Maus, die zernagte
das Band am Schlüssel zum Schloß an der Tür zum Haus des hölzernen Männleins.

Das ist das Feuer, das verbrannte
den Prügel, der prügelte
den Hund, der biß
die Katze, die fraß
die Maus, die zernagte
das Band am Schlüssel zum Schloß an der Tür zum Haus des hölzernen Männleins.

Das ist das Wasser, das löschte
das Feuer, das verbrannte
den Prügel, der prügelte
den Hund, der biß

die Katze, die fraß
die Maus, die zernagte
das Band am Schlüssel zum Schloß an der Tür zum Haus des hölzernen Männleins.

Das ist der Ochse, der soff
das Wasser, das löschte
das Feuer, das verbrannte
den Prügel, der prügelte
den Hund, der biß
die Katze, die fraß
die Maus, die zernagte
das Band am Schlüssel zum Schloß an der Tür zum Haus des hölzernen Männleins.

Das ist der Metzger, der schlachtete
den Ochsen, der soff
das Wasser, das löschte
das Feuer, das verbrannte
den Prügel, der prügelte
den Hund, der biß
die Katze, die fraß
die Maus, die zernagte
    das Band am Schlüssel
        zum Schloß an der Tür
            zum Haus des hölzernen
            Männleins.

Das Lied vom Jockel

Der Herr der schickt den Jockel aus,
er soll den Hafer schneiden.
Der Jockel schneidt den Hafer nicht
und kommt auch nicht nach Haus.

Da schickt der Herr den Pudel aus,
er soll den Jockel beißen.
Der Pudel beißt den Jockel nicht,
der Jockel schneidt den Hafer nicht
und kommt auch nicht nach Haus.

Da schickt der Herr den Prügel aus,
er soll den Pudel schlagen.
Der Prügel schlägt den Pudel nicht,
der Pudel beißt den Jockel nicht,
der Jockel schneidt den Hafer nicht
und kommt auch nicht nach Haus.

Da schickt der Herr das Feuer aus,
es soll den Prügel brennen.
Das Feuer brennt den Prügel nicht,
der Prügel schlägt den Pudel nicht,
der Pudel beißt den Jockel nicht,
der Jockel schneidt den Hafer nicht
und kommt auch nicht nach Haus.

Da schickt der Herr das Wasser aus,
es soll das Feuer löschen.
Das Wasser löscht das Feuer nicht,
das Feuer brennt den Prügel nicht,
der Prügel schlägt den Pudel nicht,
der Pudel beißt den Jockel nicht,
der Jockel schneidt den Hafer nicht
und kommt auch nicht nach Haus.

Da schickt der Herr den Ochsen aus,
er soll das Wasser saufen.
Der Ochse säuft das Wasser nicht,
das Wasser löscht das Feuer nicht,
das Feuer brennt den Prügel nicht,
der Prügel schlägt den Pudel nicht,
der Pudel beißt den Jockel nicht,
der Jockel schneidt den Hafer nicht
und kommt auch nicht nach Haus.

Da schickt der Herr den Schlächter aus,
er soll den Ochsen schlachten.
Der Schlächter schlacht den Ochsen nicht,
der Ochse säuft das Wasser nicht,
das Wasser löscht das Feuer nicht,
das Feuer brennt den Prügel nicht,
der Prügel schlägt den Pudel nicht,
der Pudel beißt den Jockel nicht,
der Jockel schneidt den Hafer nicht
und kommt auch nicht nach Haus.

Da schickt der Herr den Henker aus,
er soll den Schlächter hängen.
Der Henker hängt den Schlächter nicht,

der Schlächter schlacht den Ochsen nicht,
der Ochse säuft das Wasser nicht,
das Wasser löscht das Feuer nicht,
das Feuer brennt den Prügel nicht,
der Prügel schlägt den Pudel nicht,
der Pudel beißt den Jockel nicht,
der Jockel schneidt den Hafer nicht
und kommt auch nicht nach Haus.

Da schickt der Herr den Teufel aus,
er soll den Henker holen.
Der Teufel holt den Henker nicht,
der Henker hängt den Schlächter nicht,
der Schlächter schlacht den Ochsen nicht,
der Ochse säuft das Wasser nicht,
das Wasser löscht das Feuer nicht,
das Feuer brennt den Prügel nicht,

der Prügel schlägt den Pudel nicht,
der Pudel beißt den Jockel nicht,
der Jockel schneidt den Hafer nicht
und kommt auch nicht nach Haus.

Da geht der Herr nun selbst hinaus
und macht gar bald ein End daraus.
Der Teufel holt den Henker nun,
der Henker hängt den Schlächter nun,
der Schlächter schlacht den Ochsen nun,
der Ochse säuft das Wasser nun,
das Wasser löscht das Feuer nun,
das Feuer brennt den Prügel nun,
der Prügel schlägt den Pudel nun,
der Pudel beißt den Jockel nun,
der Jockel schneidt den Hafer nun
und kommt auch gleich nach Haus.

Kennst du das Gedicht von Goethe?
Eines Abends gingen späte
Eine Wassermaus und Kröte
Einen steilen Berg hinauf
Sprach die Wassermaus zur Kröte:
Kennst du das Gedicht von Goethe –

Ein Hund lief in die Küche
und stahl dem Koch ein Ei.
Da nahm der Koch den Löffel
und schlug den Hund zu Brei.

Da kamen alle Hunde
und gruben ihm ein Grab,
und setzten einen Grabstein,
auf dem geschrieben stand:

Ein Hund lief in die Küche
und stahl dem Koch ein Ei …

Ein Hund lief in die Küche
und stahl dem Koch ein Ei.
Da nahm der Koch den Löffel
und schlug den Hund zu Brei.

Da kamen alle Hunde
und gruben ihm ein Grab,
und setzten einen Grabstein,
auf dem geschrieben stand:

Lirum larum Löffelstiel,
alte Weiber essen viel,
junge müssen fasten.
Das Brot, das liegt im Kasten,
der Wein, der ist im Keller,
lauter Muskateller,
das Messer liegt daneben,
ei! was ein lustig Leben!

Ilse Bilse,
niemand will se.
Kam der Koch,
nahm sie doch,
weil sie so nach Zwiebeln roch.

Hans im Schneckenloch
hat alles, was er will,
und was er will, das hat er nicht,
und was er hat, das will er nicht.
Hans im Schneckenloch
hat alles, was er will.

Schimpfonade

Du sechsmal ums Salzfaß gewickelter Heringsschwanz!
Du viermal im Mehlpott gepökelter Krengeldanz!
Kropfbeißer, Kratzknacker, du hinkende Maus!
Sumpfdotter, Putzklopper, du zwickende Laus!
'ne Heulbeule biste, verdrück dich mit Soße!
Und ich geb' dir Quark mit Musik auf die Hose!
Du Giftwanstfresser, ich puste dich weg!
Und ich hol' meinen Bruder, der spuckt mit Dreck …
Ihr Kinder, wir müssen nach Hause gehn!
Och, Mutti, wir spielen doch grad so schön.

Hans Adolf Halbey

Himmelsklöße

Je mehr Kinder dabei mitmachen,
Um so mehr gibt es nachher zu lachen.

Dicke Papiere sind nicht zu gebrauchen.
Man muß Zeitung oder Briefe von Vaters Schreibtisch nehmen.
Keiner darf sich schämen,
Das Papier mit der Hand in den Nachttopf zu tauchen.
Wenn es ganz weich ist, wird es zu Klößen geballt
Und mit aller Wucht gegen die Decke geknallt.

Man darf auch vorher schnell noch Popel hineinkneten.
Solche Klöße bleiben oben minutenlang kleben.
Jedes Kind muß nun unter einen der Klöße treten
Und den offenen Mund nach der Decke erheben.

Vorher singen alle im Rund:
„Lieber Himmel tu uns kund,
Wer hat einen bösen Mund."
Bis der erste Kloß runterfällt
Und trifft zum Beispiel in Fannis Gesicht.
Dann wird die Fanni umstellt.
Und alle singen (nur Fanni nicht):
„Schweinehündin, Schweinehund!
Himmelsklöße taten kund:
Du hast einen bösen Mund.
Sperrt sie in den Kleiderschrank
Wegen ihrem Mordsgestank."

Steckt eurem Vater frech die Zunge
Heraus. Und ruft: „Prost Lausejunge!"
Dann – wenn er vorher auch noch grollte –
Vergißt er, daß er euch prügeln wollte.

Joachim Ringelnatz

Tiger-Jagd

Wer Lust hat, kann an Regentagen
auch hierzulande Tiger jagen.

Es lohnt zum Beispiel der Versuch
der Tigerjagd im Wörterbuch.

Dort spielt der Tiger mit den Jungen
im Quellgebiet der Steigerungen:

Ein Lus-Tiger, ein Präch-Tiger,
ein Läs-Tiger, ein Mäch-Tiger,

Ein Hef-Tiger, ein Gran-Tiger,
ein Bors-Tiger, ein Kan-Tiger,

Ein Kräf-Tiger, ein Saf-Tiger,
ein ganz und gar Wahrhaf-Tiger,

Ein Ar-Tiger, ein Bär-Tiger,
und manchmal ein Verfer-Tiger

von Bildern und Geschichten,
der so ein Spiel erfinden kann,
von dem wir hier berichten.

Man braucht zu dieser Tigerjagd
kein Netz und kein Gewehr,

und wer ein bißchen überlegt,
der findet noch viel mehr.

Hans Georg Lenzen

VERWIRR-REIME

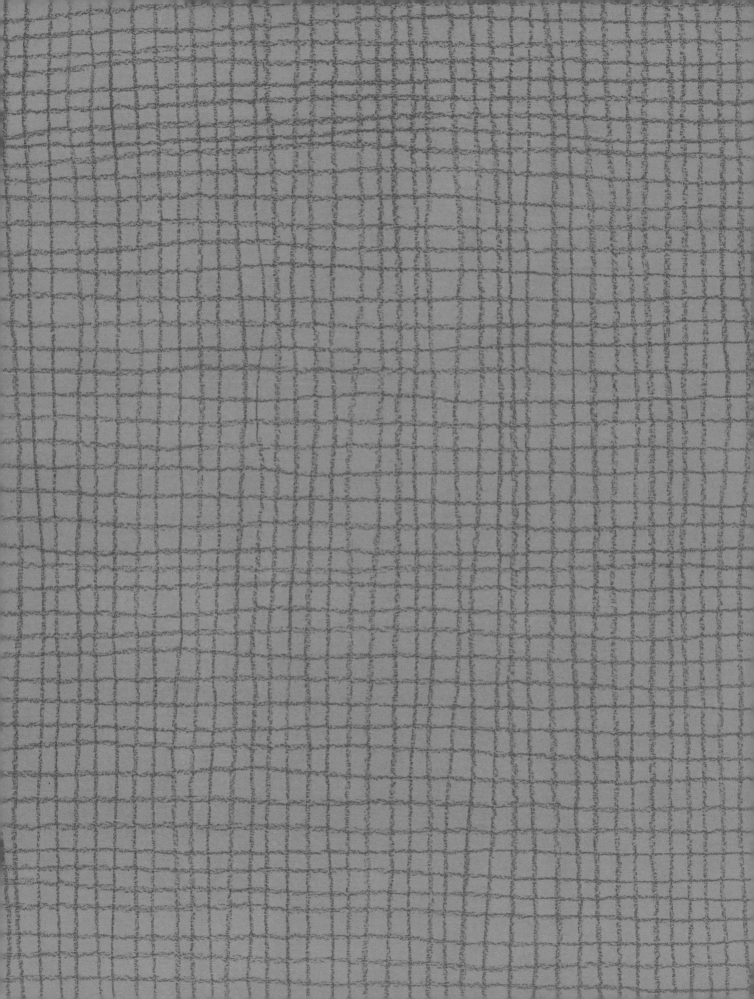

Dunkel war's, der Mond schien helle,
Schnee lag auf der grünen Flur,
als ein Auto blitzeschnelle
langsam um die Ecke fuhr.
Drinnen saßen stehend Leute,
schweigend ins Gespräch vertieft,
als ein totgeschoßner Hase
auf der Sandbank Schlittschuh lief.

Auf einer roten Bank,
die blau angestrichen war,
saß ein blondgelockter Jüngling
mit kohlrabenschwarzem Haar.
Neben ihm 'ne alte Schrulle,
die kaum erst sechzehn war.
Diese aß 'ne Butterstulle,
die mit Schmalz bestrichen war.

Droben auf dem Apfelbaume,
der sehr süße Birnen trug,
hing des Frühlings letzte Pflaume
und an Nüssen noch genug.

Eine Kuh, die saß im Schwalbennest
mit sieben jungen Ziegen,
die feierten ihr Jubelfest
und fingen an zu fliegen.
Der Esel zog Pantoffeln an,
ist übers Haus geflogen,
und wenn das nicht die Wahrheit ist,
so ist es doch gelogen.

Hexengedicht

Ich bin die Hexe Dannundwann,
die mehr als Hokuspokus kann.

Ich weiß ein Märchen, das nicht endet,
und ein Geheimnis, das sich wendet,
die Frage, die man niemals fragt,
die Antwort, die dir keiner sagt.
Ich weiß ein Rätsel, das nicht geht,
die Sprache, die kein Mensch versteht,
ein Lied, das man nicht singen kann,
und eine Zahl mit Nullen dran.

Ich bin die Hexe Hinundher,
und kreuz und quer fällt mir nicht schwer.

Am liebsten hex ich Ich und Du.
Jetzt knöpf ich meinen Schlafsack zu.
Und wenn ihr denkt, ich bin am Schlafen,
bin ich schon unterwegs zum Hafen.
Ich fahr mit dieser Eisenbahn,
mit diesem halb versunknen Kahn,
mit einem Fahrrad, das sich biegt,
mit einem Flugzeug, das nicht fliegt,
mit einem Roller, der sich windet,
mit einer U-Bahn, die verschwindet,
mit einer Straßenbahn, die kracht,
mit einem Rollschuh, der nicht lacht,
mit einem Rennwagen, der springt,
und einem Motorrad, das singt,
mit einer Raumkapsel, die bellt,
und endlich auseinanderfällt.

Und wer nicht glaubt, daß ich das kann,
der fängt noch mal von vorne an.

Ich bin die Hexe Weitundbreit,
ich bin allein, ich bin zu zweit.

Nachts reite ich auf einem Besen,
bin schon in Mexiko gewesen.
Ich kenne Hexen, laut und leise,
von mancher wilden Hexenreise
in eine längst verlaßne Stadt
und in ein Land, das Drachen hat,
auf einen Berg, der sich noch dreht,
und in ein Meer, das trocken steht.

Ich bin die Hexe Aufundab,
und Tag für Tag bin ich in Trab.

Paß auf, daß ich dich nicht erschrecke,
nachts bieg ich plötzlich um die Ecke,
mit meinem halb ertrunknen Kahn,
mit meiner Stolpereisenbahn,
mit einem Fahrrad, das nicht lacht,
mit einem Motorrad, das kracht,
mit einem Roller, der sich biegt,
mit einem Rollschuh, der nicht fliegt,
mit einer U-Bahn, die sich windet,
mit einem Flugzeug, das verschwindet,
mit einem Rennwagen, der springt,
und einer Raumkapsel, die singt,
mit einer Straßenbahn, die bellt
und endlich auseinanderfällt.

Und wer nicht glaubt, daß ich das kann,
der fängt noch mal von vorne an.

Ich bin die Hexe Ausundein,
ich bin zu zweit, ich bin allein.

Ich bin ein ganzer Hexenhaufen,
und was ich will, kann ich mir kaufen.
Ich kaufe eine Uhr, die singt,
ein Pferd, das mich zur Schule bringt,
dann einen Colt, der richtig zielt,
und einen Franz, der Fußball spielt,
den Spielzeugfrosch, der rechnen kann,
und einen Baum mit Ästen dran.
Und eine Pommfrittiermaschine,
damit ich Taschengeld verdiene.
Ich bin zu zweit, ich bin zu hundert
und hexe, daß sich alles wundert.
Ich hexe schon am frühen Morgen,
und meine Schwester macht sich Sorgen.
Ich hexe, wenn es Abend wird
und um mein Bett die Mücke schwirrt.

Am Schluß mach ich mein Meisterstück
und hex den ganzen Tag zurück.

Ich bin die Hexe Ganzundgar,
bin unsichtbar, mit Haut und Haar.

Wenn euch mein wildes Hexen stört,
dann hex ich, daß mich niemand hört.
Und hexe weiter hier und dort
und krumm und grade in einem fort.
Und kurz und lang, davor und dahinter
und Gut und Böse, Sommer und Winter.
Drinnen und draußen und unten und oben,
hab schon die ganze Welt verschoben.

Hanna Johansen

Drei Hasen
tanzen im
Mondschein im
Wiesenwinkel
am See:
Der eine ist
ein Löwe,
der andere
eine Möwe,
der dritte ist ein Reh.

Christian Morgenstern

Es gab einen Herrn, dessen Nase
sich schlängelte endlos im Grase
von Hamburg bis Kiel,
– doch trotzdem gefiel
diesem komischen Herrn seine Nase.

Edward Lear (Nachdichtung: Salah Naoura)

Es gab einen Herren mit Flöte,
der geriet eines Tages in Nöte
durch 'ne Kobra im Schuh,
doch bekam er im Nu
heraus sie mit Hilfe der Flöte.

Edward Lear (Nachdichtung: Salah Naoura)

Es war einmal ein Mann aus Peru,
dem träumte, er äß' seinen Schuh.
Er erwachte voll Graus,
spuckte kräftig aus,
und sieh' da. – er spuckte 'nen Schuh!

Rudyard Kipling (Nachdichtung: Jürgen Dahl)

War mal ein Mann mit 'nem Vollbart,
dem es schließlich zu toll ward:
vier Meisen, ein Spatz,
zehn Mäuse, ein Ratz
baun mir ihr Nest in den Vollbart!

Edward Lear (Nachdichtung: Edmund Jacoby)

Drei Damen gehen in eine Konditorei

Die erste hat großen Hunger auf einen
Mohrenkopf.
Sie pickt in die Sahne.
Die zweite leckt Eis.
Ihre Zunge friert.
Die dritte rührt in der Tasse.
Der Zucker schmeckt.
Zum Schluß trinken sie Likör,
purzeln die Steige hinunter
und drehen diesen Bericht:

Drei Konditoreien gehen in eine Dame.
Die erste hat einen großen Mohrenkopf
auf Hunger.
Sie sahnt in die Picke.
Die zweite eist Leck.
Ihre Friere zungt.
Die dritte taßt in der Rühre.
Der Schmecker zuckt.
Zum Likör trinken sie Schluß,
steigen die Purzel hinunter
und berichten diesen Dreh.

Hildegard Wohlgemuth

Die Nase

Wenngleich die Nas, ob spitz, ob platt,
zwei Flügel – Nasenflügel – hat,
so hält sie doch nicht viel vom *Fliegen*;
das *Laufen* scheint ihr mehr zu liegen.

Heinz Erhardt

Die Augen

Die Augen sind nicht nur zum Sehen,
sind auch zum *Singen* eingericht' –
wie soll man es denn sonst verstehen,
wenn man von Augen*liedern* spricht.

Heinz Erhardt

Der Schnupfen

Ein Schnupfen hockt auf der Terrasse,
auf daß er sich ein Opfer fasse

– und stürzt alsbald mit großem Grimm
auf einen Menschen namens Schrimm.

Paul Schrimm erwidert prompt: Pitschü!
und *hat* ihn drauf bis Montag früh.

Christian Morgenstern

Anhänglichkeit

Das Kind hängt an der Mutter,
der Bauer an dem Land,
der Protestant an Luther,
das Ölbild an der Wand.
Der Weinberg hängt voll Reben,
der Hund an Herrchens Blick,
der eine hängt am Leben,
der andere am Strick …

Heinz Erhardt

Die Wühlmaus

Die Wühlmaus nagt von einer Wurzel
das W hinfort, bis an die -urzel.
Sie nagt dann an der hintern Stell
auch von der -urzel noch das l.
Die Wühlmaus nagt und nagt, o weh,
auch von der -urze- noch das e.
Sie nagt die Wurzel klein und kurz,
bis aus der -urze- wird ein -urz--.

Die Wühlmaus ohne Rast und Ruh
nagt von dem -urz-- auch noch das u.
Der Rest ist schwer zu reimen jetzt,
es bleibt zurück nur noch ein --rz--.
Nun steht dies --rz-- im Wald allein.
Die Wühlmäuse sind so gemein.

Fred Endrikat

Der Lattenzaun

Es war einmal ein Lattenzaun,
mit Zwischenraum, hindurchzuschaun.

Ein Architekt, der dieses sah,
stand eines Abends plötzlich da –

und nahm den Zwischenraum heraus
und baute draus ein großes Haus.

Der Zaun indessen stand ganz dumm,
mit Latten ohne was herum.

Ein Anblick gräßlich und gemein.
Drum zog ihn der Senat auch ein.

Der Architekt jedoch entfloh
nach Afri- od- Ameriko.

Christian Morgenstern

Oh du alter Kakadu!
Stets gedenk ich Kakadeiner,
ich mißtraue Kakadir
und verwünsche Kakadich.

Ick sitze da und esse Klops
Uff eemal kloppts
Ick sitze kieke wundre mir
Uff eemal is se uff de Tür
Nanu denk ick ick denk nanu
Jetzt iss se uff erst war se zu
Und ick jeh raus und kieke
Und wer steht draußen? Icke!

Bumerang

War einmal ein Bumerang;
War ein Weniges zu lang.
Bumerang flog ein Stück,
Aber kam nicht mehr zurück.
Publikum – noch stundenlang –
Wartete auf Bumerang.

Joachim Ringelnatz

lichtung

manche meinen
lechts und rinks
kann man nicht
velwechsern.
werch ein illtum!

ernst jandl

Das futuristische Couplet

In Nürnberg kam das Ganze,
Es sind ja mal erst recht,
Doch als es mir ganz falsch war,
Ist es ohnedies zu schlecht.
Mit wessen ich grad dachte,
Von ohne sie berührt,
So sind sie denn von vorne rein
Ganz ohne diszipliert.

Wer allzulange sind ist,
Ob arm, geht sich bei dem,
Das einmal es oft lieber sein,
Drum wird ja ohnedem,
Mitsammen, ja denn so kann,
Bei deinen nicht schon sein,
Sobald man kann es bleiben soll,
Zusammen fein zu sein.

Wenn einmal in der Nase,
Hast manchmal du in Ruh,
Die Plattform in der Tasche hast,
Und treibst in allem zu,
So wittert aus den Mitteln,
In Spanien aus und ab,
Der Blumen Augenbrauen senkt,
Mit Asien und in Trapp.

Karl Valentin

KINDERWELT

Maikäfer flieg!
Dein Vater ist im Krieg,
dein' Mutter ist in Pommerland,
Pommerland ist abgebrannt,
Maikäfer flieg!

Schlaf, Kindle, schlaf!
Da draußen is' ein Schaf,
da draußen is' ein Lämmle
auf einem grünen Tännle.
Schlaf, Kindle, schlaf!

Schlaf, Kindlein, schlaf!
Deine Mutter ist ein Schaf,
dein Vater ist ein Trampeltier,
was kannst du armes Kind dafür.
Schlaf, Kindchen, schlaf!

Wie Fitzebutze seinen alten Hut verliert

Lieber, ßöner Hampelmann!
fing die kleine Detta an;
ich bin dhoß und Du bist tlein,
willst du Fitzebutze sein?
tomm!

Tomm auf Haterns dhoßen Tuhl,
Vitzliputze, Blitzepul!
Hater sagt, man weiß es nicht,
wie man deinen Namen sp'icht;
pst!

Pst, sagt Hater, Fitzebott
war eimal ein lieber Dott,
der auf einem Tuhle saß
und sebratne Menßen aß;
huh! –

Huh, da sah der Hampelmann
furchtbar groß die Detta an,
und sein alter Bommelhut
kullerte vom Stuhl vor Wut,
plumps.

Plumß, sprach Detta; willste woll!
sei doch nich so ßrecklich doll!
Mutter sagt, der liebe Dott
donnert nicht in einem fo't;
nein!

Nein, sagt Mutta, Dott ist dut,
wenn man a'tig beten tut;
Fitzebutze, hör mal an,
was tlein Detta alles tann,
ei! –

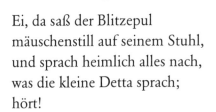

Ei, da saß der Blitzepul
mäuschenstill auf seinem Stuhl,
und sprach heimlich alles nach,
was die kleine Detta sprach;
hört!

Richard und Paula Dehmel

Kindergebetchen

Erstes

Lieber Gott, ich liege
Im Bett. Ich weiß, ich wiege
Seit gestern fünfunddreißig Pfund.
Halte Pa und Ma gesund.
Ich bin ein armes Zwiebelchen,
Nimm mir das nicht übelchen.

Zweites

Lieber Gott, recht gute Nacht.
Ich hab noch schnell Pipi gemacht,
Damit ich von dir träume.
Ich stelle mir den Himmel vor
Wie hinterm Brandenburger Tor
Die Lindenbäume.
Nimm meine Worte freundlich hin,
Weil ich schon sehr erwachsen bin.

Drittes

Lieber Gott mit Christussohn,
Ach schenk mir doch ein Grammophon.
Ich bin ein ungezognes Kind,
Weil meine Eltern Säufer sind.
Verzeih mir, daß ich gähne.
Beschütze mich in aller Not,
Mach meine Eltern noch nicht tot
Und schenk der Oma Zähne.

Joachim Ringelnatz

Was ein Kind gesagt bekommt

Der liebe Gott sieht alles.
Man spart für den Fall des Falles.
Die werden nichts, die nichts taugen.
Schmökern ist schlecht für die Augen.
Kohlentragen stärkt die Glieder.
Die schöne Kinderzeit, die kommt nicht wieder.
Man lacht nicht über ein Gebrechen.
Du sollst Erwachsenen nicht widersprechen.
Man greift nicht zuerst in die Schüssel bei Tisch.
Sonntagsspaziergang macht frisch.
Zum Alter ist man ehrerbötig.
Süßigkeiten sind für den Körper nicht nötig.
Kartoffeln sind gesund.
Ein Kind hält den Mund.

Bertolt Brecht

Bitten der Kinder

Die Häuser sollen nicht brennen.
Bomber sollt man nicht kennen.
Die Nacht soll für den Schlaf sein.
Leben soll keine Straf sein.
Die Mütter sollen nicht weinen.

Keiner sollt müssen töten einen.
Alle sollen was bauen
Da kann man allen trauen.
Die Jungen sollen's erreichen.
Die Alten desgleichen.

Bertolt Brecht

Meine Mutter

Irren ist menschlich, sagt meine Mutter.
Meine Mutter irrt schon
seit langer Zeit und sehr oft.
Darum ist sie besonders menschlich.
Viel menschlicher als ich,
der ich durch meine kurze Lebenszeit
noch nicht so viel Gelegenheit
zum Irren hatte.

Christine Nöstlinger

Mein Vater

Cola schmeckt wie Wanzengift,
sagt mein Vater
immer nach dem ersten Bier.
Cola ist ein ausländischer Dreck,
sagt mein Vater
immer nach dem zweiten Bier.
Cola frißt den Magen auf,
sagt mein Vater
immer nach dem dritten Bier.
Cola zersetzt das Hirn,
sagt mein Vater
immer nach dem vierten Bier.
Nach dem fünften Bier
sagt er nichts mehr.

Christine Nöstlinger

Lampenputzer ist mein Vater
am Berliner Hoftheater.

Meine Mutter wäscht Manschetten
für die Berliner Hofkadetten.

Meine Schwester, die Gertrude,
hat 'ne Selterswasserbude.

Und mein Bruder, dieser Lümmel,
der qualmt Zigarettenstümmel.

Kindsein ist süß?

Tu dies! Tu das!
Und dieses laß!
Beeil dich doch!
Heb die Füße hoch!
Sitz nicht so krumm!
Mein Gott, bist du dumm!
Stopf's nicht in dich rein!
Laß das Singen sein!
Du kannst dich nur mopsen!
Hör auf zu hopsen!
Du machst mich verrückt!
Nie wird sich gebückt!

Schon wieder 'ne Vier!
Hol doch endlich Bier!
Sau dich nicht so ein!
Das schaffst du allein!
Mach dich nicht so breit!
Hab jetzt keine Zeit!

Laß das Geklecker!
Fall mir nicht auf den Wecker!
Mach die Tür leise zu!
Laß mich in Ruh!
Kindsein ist süß?
Kindsein ist mies!

Susanne Kilian

Lirum, larum, Löffelstiel,
wer nichts lernt, der kann nicht viel.

Leise rieselt die Vier
auf das Zeugnispapier.
Horcht nur, wie lieblich es schallt,
wenn mein Vater mir eine knallt.

... ist 'ne schöne Stadt,
die auch eine Schule hat.
Die Schule ist aus Lehm gebaut,
die wackelt, wenn der Lehrer haut.

Sechs mal sechs ist sechsunddreißig,
und die Kinder sind so fleißig,
und der Lehrer ist so faul
wie ein alter Droschkengaul.

O Tannenbaum, O Tannenbaum,
der Lehrer hat mich blaugehaun.
Jetzt muß ich in der Ecke stehn
und mir die kahle Wand besehn.

Hans, mein Sohn, was machst du da?
Vater, ich studiere.
Hans, mein Sohn, das kannst du nicht.
Vater, ich probiere.

Hans, mein Sohn, du ärgerst mich.
Vater, das ist Mode.
Hans, mein Sohn, ich schlage dich.
Aber nicht zu Tode!

Das verhexte Telefon

Neulich waren bei Pauline
sieben Kinder zum Kaffee.
Und der Mutter taten schließlich
von dem Krach die Ohren weh.

Deshalb sagte sie: „Ich gehe.
Aber treibt es nicht zu toll.
Denn der Doktor hat verordnet,
daß ich mich nicht ärgern soll."

Doch kaum war sie aus dem Hause,
schrie die rote Grete schon:
„Kennt ihr meine neuste Mode?
Kommt mal mit ans Telefon."

Und sie rannten wie die Wilden
an den Schreibtisch des Papas.
Grete nahm das Telefonbuch,
blätterte darin und las.

Dann hob sie den Hörer runter,
gab die Nummer an und sprach:
„Ist dort der Herr Bürgermeister?
Ja? Das freut mich. Guten Tach!

Hier ist Störungsstelle Westen.
Ihre Leitung scheint gestört.
Und da wäre es am besten,
wenn man Sie mal sprechen hört.

Klingt ganz gut ... Vor allen Dingen
bittet unsere Stelle Sie,
prüfungshalber was zu singen.
Irgendeine Melodie."

Und die Grete hielt den Hörer
allen Sieben an das Ohr.
Denn der brave Bürgermeister
sang „Am Brunnen vor dem Tor".

Weil sie schrecklich lachen mußten,
hängten sie den Hörer ein.
Dann trat Grete in Verbindung
mit Finanzminister Stein.

„Exzellenz, hier Störungsstelle.
Sagen Sie doch dreimal ‚Schrank'.
Etwas lauter, Herr Minister!
Tschuldigung und besten Dank."

Wieder mußten alle lachen.
Hertha schrie „Hurrah!" und dann
riefen sie von neuem lauter
sehr berühmte Männer an.

Von der Stadtbank der Direktor
sang zwei Strophen „Hänschen klein".
Und der Intendant der Oper
knödelte die „Wacht am Rhein".

Ach, sogar den Klassenlehrer
rief man an. Doch sagte der:
„Was für Unsinn? Störungsstelle?
Grete, Grete! Morgen mehr."

Das fuhr allen in die Glieder.
Was geschah am Tage drauf!
Grete rief: „Wir tun's nicht wieder".
Doch er sagte: „Setzt Euch nieder.
Was habt Ihr im Rechnen auf?"

Erich Kästner

Als der erste Zahn durch war

Viktoria! Viktoria!
Der kleine weiße Zahn ist da!
Du Mutter! komm, und groß und klein
Im Hause! Kommt und guckt hinein
Und seht den hellen weißen Schein!

Der Zahn soll Alexander heißen.
Du liebes Kind! Gott halt ihn dir gesund
Und geb dir Zähne mehr in deinen kleinen Mund
Und immer was dafür zu beißen!

Matthias Claudius

Ich bin der Doktor Eisenbart,
kurier die Leut auf meine Art:
Ich mach die Lahmen wieder sehen
und die Blinden wieder gehen.

fünfter sein

tür auf
einer raus
einer rein
vierter sein

tür auf
einer raus
einer rein
dritter sein

tür auf
einer raus
einer rein
zweiter sein

tür auf
einer raus
einer rein
nächster sein

tür auf
einer raus
selber rein
tagherrdoktor

ernst jandl

Geburtstagsgruß

Ach wie schön, daß Du geboren bist!
Gratuliere uns, daß wir Dich haben,
Daß wir Deines Herzens gute Gaben
Oft genießen dürfen ohne List.

Deine Mängel, Deine Fehler sind
Gegen das gewogen harmlos klein.
Heut nach vierzig Jahren wirst Du sein:
Immer noch ein Geburtstagskind.

Möchtest Du: nie lange traurig oder krank
Sein. Und: wenig Häßliches erfahren. –
Deinen Eltern sagen wir unseren fröhlichen Dank
Dafür, daß sie Dich gebaren.

Gott bewinke Dir
Alle Deine Schritte;
Ja, das wünschen wir,
Deine Freunde und darunter (bitte)
Dein
        Joachim Ringelnatz

Laternenlied

Ich geh mit meiner Laterne
und meine Laterne mit mir.
Dort oben leuchten die Sterne,
hier unten leuchten wir.
Mein Licht ist aus,
ich geh nach Haus.
Rabimmel, rabammel, rabumm!

Laterne, Laterne,
Sonne, Mond und Sterne,
brenne auf, mein Licht,
brenne auf, mein Licht,
nur meine schöne Laterne nicht.

Sankt Niklas, komm in unser Haus,
leer deine großen Taschen aus,
stell dein Esel auf den Mist,
daß er Heu und Hafer frißt.
Heu und Hafer frißt er nicht,
Zuckerbrezel kriegt er nicht.

Hier wohnt ein reicher Mann,
der uns vieles geben kann.
Vieles soll er geben,
lange soll er leben
und das Himmelreich erwerben!

Knecht Ruprecht

Von drauß vom Walde komm' ich her;
Ich muß euch sagen, es weihnachtet sehr!
Allüberall auf den Tannenspitzen
Sah ich goldene Lichtlein sitzen;
Und droben aus dem Himmelstor
Sah mit großen Augen das Christkind hervor,
Und wie ich so strolcht' durch den finstern Tann,
Da rief's mich mit heller Stimme an:

„Knecht Ruprecht", rief es, „alter Gesell,
Hebe die Beine und spute dich schnell!
Die Kerzen fangen zu brennen an,
Das Himmelstor ist aufgetan,
Alt' und Junge sollen nun
Von der Jagd des Lebens einmal ruhn;
Und morgen flieg' ich hinab zur Erden,
Denn es soll wieder Weihnachten werden!"
Ich sprach: „O lieber Herre Christ,
Meine Reise fast zu Ende ist;
Ich soll nur noch in diese Stadt,
Wo's eitel gute Kinder hat." –
„Hast denn das Säcklein auch bei dir?"

Ich sprach: „Das Säcklein, das ist hier;
Denn Äpfel, Nuß und Mandelkern
Essen fromme Kinder gern." –
„Hast denn die Rute auch bei dir?"
Ich sprach: „Die Rute, die ist hier;
Doch für die Kinder nur, die schlechten,
Die trifft sie auf den Teil, den rechten."
Christkindlein sprach: „So ist es recht;
So geh mit Gott, mein treuer Knecht!"
Von drauß vom Walde komm' ich her;
Ich muß euch sagen, es weihnachtet sehr!
Nun sprecht, wie ich's hierinnen find'!
Sind's gute Kind, sind's böse Kind?

Theodor Storm

Wie sich das Galgenkind die Monatsnamen merkt

Jaguar
Zebra
Nerz
Mandrill
Maikäfer
Ponny
Muli
Auerochs
Wespenbär
Lochtauber
Robbenbär
Zehenbär.

Christian Morgenstern

liebe ratte, komm zu mir,
gerne spiele ich mit dir,
bind dir engleinsflügel um,
trag dich ins panoptikum,
worein oft die kinder gehn,
und wann die dich fliegen sehn,
rufen alle, alle aus:
sone große fledermaus!

H. C. Artmann

Ein Krokodil

Ich träum, es kommt ein Krokodil
mit einem großen Maul.
Am Tage liegt's auf einem Stein,
am Tage ist es faul.

Und dann am Abend wird es wach
und macht sich auf die Socken.
Es kriecht zu unserm Haus aufs Dach,
da seh ich es schon hocken.

Und wenn es erst ganz dunkel ist,
dann schleicht es sich heran.
Es will zu mir herein und frißt
mich dann.

Es hinkt durchs Haus, das hör ich doch,
es steigt die Treppe rauf.
Dann kommt's herein durchs Schlüsselloch
und reißt sein Maul schon auf.

Es hat 'ne Menge Zähne in
dem großen roten Rachen.
Und weil es auch noch Flügel hat,
glaub ich, es ist ein Drachen.

Was willst du hier, schrei ich ganz laut,
ich glaub, du willst mich fressen.
Nein, sagt das Krokodil und schaut,
ich hab nur was vergessen.

Hanna Johansen

Der Werwolf

Ein Werwolf eines Nachts entwich
von Weib und Kind und sich begab
an eines Dorfschullehrers Grab
und bat ihn: „Bitte, beuge mich!"

Der Dorfschulmeister stieg hinauf
auf seines Blechschilds Messingknauf
und sprach zum Wolf, der seine Pfoten
geduldig kreuzte vor dem Toten:

„Der Werwolf", sprach der gute Mann,
„des Weswolfs, Genitiv sodann,
dem Wemwolf, Dativ, wie man's nennt,
den Wenwolf, – damit hat's ein End."

Dem Werwolf schmeichelten die Fälle,
er rollte seine Augenbälle.
„Indessen", bat er, „füge doch
zur Einzahl auch die Mehrzahl noch!"

Der Dorfschulmeister aber mußte
gestehn, daß er von ihr nichts wußte.
Zwar Wölfe gäb's in großer Schar,
doch „Wer" gäb's nur im Singular.

Der Wolf erhob sich tränenblind –
er hatte ja doch Weib und Kind!!
Doch da er kein Gelehrter eben,
so schied er dankend und ergeben.

Christian Morgenstern

Die Ameisen

In Hamburg lebten zwei Ameisen,
Die wollten nach Australien reisen.
Bei Altona auf der Chaussee
Da taten ihnen die Beine weh,
Und da verzichteten sie weise
Denn auf den letzten Teil der Reise.

So will man oft und kann doch nicht
Und leistet dann recht gern Verzicht.
Joachim Ringelnatz

Die Schnecke

Mit ihrem Haus nur geht sie aus!
Doch heut läßt sie ihr Haus zu Haus,
es drückt so auf die Hüften.
Und außerdem – das ist gescheit
und auch die allerhöchste Zeit:
sie muß ihr Haus mal lüften!
Heinz Erhardt

Die Made

Hinter eines Baumes Rinde
wohnt die Made mit dem Kinde.

Sie ist Witwe, denn der Gatte,
den sie hatte, fiel vom Blatte.
Diente so auf diese Weise
einer Ameise als Speise.

Eines Morgens sprach die Made:
„Liebes Kind, ich sehe grade,
drüben gibt es frischen Kohl,
den ich hol. So leb denn wohl!
Halt, noch eins! Denk, was geschah,
geh nicht aus, denk an Papa!"

Also sprach sie und entwich. –
Made junior aber schlich
hinterdrein; und das war schlecht!
Denn schon kam ein bunter Specht
und verschlang die kleine fade
Made ohne Gnade. Schade!

Hinter eines Baumes Rinde
ruft die Made nach dem Kinde …

Heinz Erhardt

Der Wurm

Am Fuß von einem Aussichtsturm
saß ganz erstarrt ein langer Wurm.
Doch plötzlich kommt die Sonn' herfür,
erwärmt den Turm und auch das Tier.
Da fängt der Wurm an sich zu regen
und heißt jetzt Regenwurm deswegen.

Heinz Erhardt

Jakob hat kein Brot im Haus,
Jakob macht sich gar nichts draus,
Jakob hin, Jakob her,
Jakob ist ein Zottelbär.

Großus Bärus

In des Waldes tiefsten Gründen
Ist ein großer Bär zu finden.
In des Waldes triefstus Gründus
Ist ein großus Bärus findus.
In des Waldchim tiefstchim Gründchim
Ist ein großchim Bärchim findchim.
In des Waldoli tiefstoli Gründoli
Ist ein großoli Bäroli findoli.
In des Waldlatsch tiefstlatsch Gründlatsch
Ist ein großlatsch Bärlatsch findlatsch.

Das Gebet

Die Rehlein beten zur Nacht,
habt acht!

Halb neun!

Halb zehn!

Halb elf!

Halb zwölf!

Zwölf!

Die Rehlein beten zur Nacht,
habt acht!
Sie falten die kleinen Zehlein,
die Rehlein.

Christian Morgenstern

Im Park

Ein ganz kleines Reh stand am ganz kleinen Baum
Still und verklärt wie im Traum.
Das war des Nachts elf Uhr zwei.
Und dann kam ich um vier
Morgens wieder vorbei,
Und da träumte noch immer das Tier.
Nun schlich ich mich leise – ich atmete kaum –
Gegen den Wind an den Baum,
Und gab dem Reh einen ganz kleinen Stips.
Und da war es aus Gips.

Joachim Ringelnatz

Möwenlied

Die Möwen sehen alle aus,
als ob sie Emma hießen.
Sie tragen einen weißen Flaus
und sind mit Schrot zu schießen.

Ich schieße keine Möwe tot,
ich lass' sie lieber leben –
und füttre sie mit Roggenbrot
und rötlichen Zibeben.

O Mensch, du wirst nie nebenbei
der Möwe Flug erreichen.
Wofern du Emma heißest, sei
zufrieden, ihr zu gleichen.

Christian Morgenstern

Spatzensalat

Auf dem Kirschbaum Schmiroschmatzki
saß ein Spatz mit seinem Schatzki,
spuckt die Kerne klipokleini
auf die Wäsche an der Leini.
Schrie die Bäurin Bulowatzki:
„Fort, ihr Tiroteufelsbratzki!"
Schrie der Bauer Wirowenski:
„Wo sind meine Kirschokenski?
Fladarupfki! Halsumdratski!
Hol der Henker alle Spatzki!"

Friedrich Hoffmann

Arche Noah

Als Noah die Arche Noah erschuf,
Folgte jedes Tier seinem Ruf
Und fand sein Heim
In einem Reim.

Nur für den Vogel gab's kein Wort.
Die Vögel flogen traurig fort.
Allein das Vogelei
Kam durch Mogelei
An seinen Ort.

Christa Reinig

Die drei Spatzen

In einem leeren Haselstrauch
da sitzen drei Spatzen, Bauch an Bauch.

Der Erich rechts und links der Franz
und mitten drin der freche Hans.

Sie haben die Augen zu, ganz zu,
und obendrüber da schneit es, hu!

Sie rücken zusammen dicht an dicht.
So warm wie der Hans hat's niemand nicht.

So hör'n alle drei ihrer Herzlein Gepoch.
Und wenn sie nicht weg sind, so sitzen sie noch.

Christian Morgenstern

Das Huhn und der Karpfen

Auf einer Meierei
Da war einmal ein braves Huhn,
Das legte, wie die Hühner tun,
An jedem Tag ein Ei
Und kakelte,
Mirakelte,
Spektakelte,
Als ob's ein Wunder sei!

Es war ein Teich dabei,
Darin ein braver Karpfen saß
Und stillvergnügt sein Futter fraß,
Der hörte das Geschrei:
Wie's kakelte,
Mirakelte,
Spektakelte,
Als ob's ein Wunder sei.

Da sprach der Karpfen: „Ei!
Alljährlich leg' ich 'ne Million
Und rühm mich des mit keinem Ton;
Wenn ich um jedes Ei
So kakelte,
Mirakelte,
Spektakelte –
Was gäb's für ein Geschrei!"

Heinrich Seidel

Fink und Frosch

Im Apfelbaume pfeift der Fink
Sein: pinkepink!
Ein Laubfrosch klettert mühsam nach
Bis auf des Baumes Blätterdach
Und bläht sich auf und quackt: „Ja ja!
Herr Nachbar, ick bin och noch da!"

Und wie der Vogel frisch und süß
Sein Frühlingslied erklingen ließ,
Gleich muß der Frosch in rauhen Tönen
Den Schusterbaß dazwischen dröhnen.

„Juchheija heija!" spricht der Fink.
„Fort flieg ich flink!"
Und schwingt sich in die Lüfte hoch.

„Wat!" ruft der Frosch. „Dat kann ick och!"
Macht einen ungeschickten Satz,
Fällt auf den harten Gartenplatz,
Ist platt, wie man die Kuchen backt,
Und hat für ewig ausgequackt.

Wenn einer, der mit Mühe kaum
Geklettert ist auf einen Baum,
Schon meint, daß er ein Vogel wär,
So irrt sich der.

Wilhelm Busch

Wettstreit

Der Kuckuck und der Esel,
Die hatten großen Streit,
Wer wohl am besten sänge
Zur schönen Maienzeit.

Der Kuckuck sprach: „Das kann ich!"
Und hub gleich an zu schrei'n.
„Ich aber kann es besser!"
Fiel gleich der Esel ein.

Das klang so schön und lieblich,
So schön von fern und nah;
Sie sangen alle beide:
„Kuku, Kuku, ia!"

Heinrich Hoffmann von Fallersleben

Hund und Herrchen

Egal, von welcher Art und Rasse,
ob tief er bellt, ob hoch er kläfft,
der Hund macht alles auf der Straße –
und auf die Straße sein Geschäft.
Die Katze ist da etwas feiner:
sie hat ihr Klo, auf das sie geht,

und wie sie liebt, das sah noch keiner –
man hört es höchstens, abends spät.
Der Hund dankt stets für jede Strafe,
er leckt die Hand, die ihn versehrt.
Er ist des Herrchens treuster Sklave –
doch meistens ist es umgekehrt.

Heinz Erhardt

Katzen kann man alles sagen

Auf der Treppe saß ein Mädchen,
ein graues Kätzchen auf dem Schoß.
„Dreimal drei ist zwölfundzwanzig",
flüsterte es ihm ins Ohr.

„Aber ja nicht weitersagen!"
Ernst sah es das Kätzchen an.
Keine Sorge! dacht ich, als ich's
im Vorübergehn vernahm.

Katzen kann man alles sagen.
Was man auch zu ihnen spricht,
sie verraten kein Geheimnis.
Katzen machen so was nicht!

Josef Guggenmos

Bum bam beier,
die Katz mag keine Eier.
Was mag sie dann?
Speck in die Pfann!
Ei wie lecker ist unsre Madam!

Von Katzen

Vergangnen Maitag brachte meine Katze
Zur Welt sechs allerliebste kleine Kätzchen,
Maikätzchen, alle weiß mit schwarzen Schwänzchen.
Fürwahr, es war ein zierlich Wochenbettchen!
Die Köchin aber – Köchinnen sind grausam,
Und Menschlichkeit wächst nicht in einer Küche –
Die wollte von den Sechsen fünf ertränken,
Fünf weiße, schwarzgeschwänzte Maienkätzchen
Ermorden wollte dies verruchte Weib.
Ich half ihr heim! – der Himmel segne
Mir meine Menschlichkeit! Die lieben Kätzchen,
Sie wuchsen auf und schritten binnen kurzem
Erhobnen Schwanzes über Hof und Herd;
Ja, wie die Köchin auch ingrimmig drein sah,
Sie wuchsen auf, und nachts von ihrem Fenster
Probierten sie die allerliebsten Stimmchen.
Ich aber, wie ich sie so wachsen sehe,
Ich pries mich selbst und meine Menschlichkeit. –

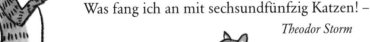

Ein Jahr ist um, und Katzen sind die Kätzchen,
Ein Maitag ist's! – Wie soll ich es beschreiben,
Das Schauspiel, das sich jetzt vor mir entfaltet!
Mein ganzes Haus vom Keller bis zum Giebel,
Ein jeder Winkel ist ein Wochenbettchen!
Hier liegt das eine, dort das andre Kätzchen,
In Schränken, Körben, unter Tisch und Treppen,
Die Alte gar – nein, es ist unaussprechlich,
Liegt in der Köchin jungfräulichem Bette!
Und jede, jede von den sieben Katzen
Hat sieben, denkt Euch! sieben junge Kätzchen,
Maikätzchen, alle weiß mit schwarzen Schwänzchen!
Die Köchin rast, ich kann der blinden Wut
Nicht Schranken setzen dieses Frauenzimmers.
Ersäufen will sie alle neunundvierzig!
Mir selber! ach, mir läuft der Kopf davon –
O Menschlichkeit, wie soll ich dich bewahren!
Was fang ich an mit sechsundfünfzig Katzen! –

Theodor Storm

Der Panther

Im Jardin des Plantes, Paris

Sein Blick ist vom Vorübergehn der Stäbe
so müd geworden, daß er nichts mehr hält.
Ihm ist, als ob es tausend Stäbe gäbe
und hinter tausend Stäben keine Welt.

Der weiche Gang geschmeidig starker Schritte,
der sich im allerkleinsten Kreise dreht,
ist wie ein Tanz von Kraft um eine Mitte,
in der betäubt ein großer Wille steht.

Nur manchmal schiebt der Vorhang der Pupille
sich lautlos auf –. Dann geht ein Bild hinein,
geht durch der Glieder angespannte Stille –
und hört im Herzen auf zu sein.

Rainer Maria Rilke

NATUR

Wem Gott will rechte Gunst erweisen,
Den schickt er in die weite Welt,
Dem will er seine Wunder weisen
In Berg und Wald und Strom und Feld.

Die Trägen, die zu Hause liegen,
Erquicket nicht das Morgenrot,
Sie wissen nur vom Kinderwiegen,
Von Sorgen, Last und Not um Brot.

Die Bächlein von den Bergen springen,
Die Lerchen schwirren hoch vor Lust,
Was sollt ich nicht mit ihnen singen
Aus voller Kehl und frischer Brust?

Den lieben Gott laß ich nur walten;
Der Bächlein, Lerchen, Wald und Feld
Und Erd und Himmel will erhalten,
Hat auch mein Sach aufs best bestellt!

Joseph von Eichendorff

Manchmal hatten Menschen
andere Probleme, als die Natur zu genießen.
Dann sangen sie so:

Wem Gott will rechte Gunst erweisen,
Den schickt er in die Wurstfabrik,
Den läßt er eine Knackwurst beißen
Und wünscht ihm guten Appetit.

Bist du schon auf der Sonne gewesen?

Bist du schon auf der Sonne gewesen?
Nein? – Dann brich dir aus einem Besen
Ein kleines Stück Spazierstock heraus
Und schleiche dich heimlich aus dem Haus
Und wandere langsam in aller Ruh
Immer direkt auf die Sonne zu.
So lange, bis es ganz dunkel geworden.
Dann öffne leise dein Taschenmesser,
Damit dich keine Mörder ermorden.

Und wenn du die Sonne nicht mehr erreichst,
Dann ist es fürs erstemal schon besser,
Daß du dich wieder nach Hause schleichst.

Joachim Ringelnatz

Es regnet, es regnet,
der Kuckuck wird naß.
Wir sitzen im Trocknen,
was schadet uns das?

Arm Kräutchen

Ein Sauerampfer auf dem Damm
Stand zwischen Bahngeleisen,
Machte vor jedem D-Zug stramm,
Sah viele Menschen reisen

Und stand verstaubt und schluckte Qualm
Schwindsüchtig und verloren,
Ein armes Kraut, ein schwacher Halm,
Mit Augen, Herz und Ohren.

Sah Züge schwinden, Züge nahn.
Der arme Sauerampfer
Sah Eisenbahn um Eisenbahn,
Sah niemals einen Dampfer.

Joachim Ringelnatz

Der Pflaumenbaum

Im Hofe steht ein Pflaumenbaum
Der ist klein, man glaubt es kaum.
Er hat ein Gitter drum
So tritt ihn keiner um.

Der Kleine kann nicht größer wer'n.
Ja größer wer'n, das möcht er gern.
's ist keine Red davon
Er hat zu wenig Sonn.

Den Pflaumenbaum glaubt man ihm kaum
Weil er nie eine Pflaume hat
Doch er ist ein Pflaumenbaum
Man kennt es an dem Blatt.

Bertolt Brecht

Gefunden

Ich ging im Walde
So für mich hin,
Und nichts zu suchen,
Das war mein Sinn.

Im Schatten sah ich
Ein Blümchen stehn,
Wie Sterne leuchtend,
Wie Äuglein schön.

Ich wollt es brechen,
Da sagt' es fein:
Soll ich zum Welken
Gebrochen sein?

Ich grub's mit allen
Den Würzlein aus,
Zum Garten trug ich's
Am hübschen Haus.

Und pflanzt' es wieder
Am stillen Ort;
Nun zweigt es immer
Und blüht so fort.

Johann Wolfgang Goethe

Mondnacht

Es war, als hätt der Himmel
Die Erde still geküßt,
Daß sie im Blütenschimmer
Von ihm nur träumen müßt.

Die Luft ging durch die Felder,
Die Ähren wogten sacht,
Es rauschten leis die Wälder,
So sternklar war die Nacht.

Und meine Seele spannte
Weit ihre Flügel aus,
Flog durch die stillen Lande,
Als flöge sie nach Haus.

Joseph von Eichendorff

Schläft ein Lied in allen Dingen,
Die da träumen fort und fort;
Und die Welt hebt an zu singen,
Triffst du nur das Zauberwort.

Joseph von Eichendorff

Wiegenlied

Singet leise, leise, leise,
Singt ein flüsternd Wiegenlied,
Von dem Monde lernt die Weise,
Der so still am Himmel zieht.

Singt ein Lied so süß gelinde,
Wie die Quellen auf den Kieseln,
Wie die Bienen auf die Linde
Summen, murmeln, flüstern, rieseln.

Clemens Brentano

Wandrers Nachtlied

Über allen Gipfeln
Ist Ruh,
In allen Wipfeln
Spürest du
Kaum einen Hauch;
Die Vögelein schweigen im Walde.
Warte nur, balde
Ruhest du auch.

Johann Wolfgang Goethe

Weil dies Gedicht von Goethe
so schön ist, wurde es viel zu oft aufgesagt.
Und weil es dadurch totgeritten wurde,
hat der freche Ringelnatz
es parodiert:

– – Drüben am Walde
Kängt ein Guruh – –

Warte nur balde
Kängurst auch du.

NACHDENKEN

Ein Schnurps grübelt

Also, es war einmal eine Zeit,
da war ich noch gar nicht da. –
Da gab es schon Kinder, Häuser und Leut'
und auch Papa und Mama,
jeden für sich –
bloß ohne mich!

Ich kann mir's nicht denken. Das war gar nicht so.
Wo war ich denn, eh es mich gab?
Ich glaub', ich war einfach anderswo,
nur, daß ich's vergessen hab',
weil die Erinnerung daran verschwimmt –
Ja, so war's bestimmt!

Und einmal, das sagte der Vater heut,
ist jeder Mensch nicht mehr hier.
Alles gibt's noch: Kinder, Häuser und Leut',
auch die Sachen und Kleider von mir.
Das bleibt dann für sich –
bloß ohne mich.

Aber ist man dann weg? Ist man einfach fort?
Nein, man geht nur woanders hin.
Ich glaube, ich bin dann halt wieder dort,
wo ich vorher gewesen bin.
Das fällt mir dann bestimmt wieder ein.
Ja, so wird es sein!

Michael Ende

Zufall

Wenn statt mir jemand anderer
auf die Welt gekommen wär'.
Vielleicht meine Schwester
oder mein Bruder
oder irgendein fremdes blödes Luder –
wie wär' die Welt dann,
ohne mich?
Und wo wäre denn dann ich?
Und würd' mich irgendwer vermissen?
Es tät ja keiner von mir wissen.
Statt mir wäre hier ein ganz anderes Kind,
würde bei meinen Eltern leben
und hätte mein ganzes Spielzeug im Spind.
Ja, sie hätten ihm sogar
meinen Namen gegeben!

Martin Auer

Gestern

Gestern hab ich mir vorgestellt,
ich wär der einzige Mensch auf der Welt.
Ganz einsam war ich und weinte schon,
da klingelte leider das Telefon.

Frantz Wittkamp

doppelt so weit

ich bin neu auf der welt
und ich geh von mir weg
und ich geh zu mir hin
ich bin sechs monate
und ich geh von mir weg
und ich geh zu mir hin
ich bin ein jahr alt
und ich geh von mir weg
und ich geh zu mir hin
wie ich zwei jahre bin
und ich geh von mir weg
und ich geh zu mir hin
das ist mein vierter geburtstag
und ich geh von mir weg
und ich geh zu mir hin
als ein schulkind von acht jahren

und ich geh von mir weg
und ich geh zu mir hin
und erkenne mich mit sechzehn kaum wieder
und ich geh von mir weg
und ich geh zu mir hin
der zweiunddreißigste ist ein schöner geburtstag
und ich geh von mir weg
und ich geh zu mir hin
ich mit vierundsechzig
geh nicht mehr doppelt so weit

ernst jandl

Daten in Nebensätzen

Als ich geboren wurde
als die Sonne schien
als Goethe jung war
als die Bäume blühten
als sie des Sonnengottes Rinder schlachteten
als Mao lehrte und Tri Quang
als sie den Mond erreichten
als Karthago brannte
    als ich Mumps hatte
als die Blätter fielen
als Newton schreiben lernte
als die Erde bebte
als Blum erschossen wurde
und Luther King
und Rosa Luxemburg
als Einstein emigrierte
und Sappho floh
als sie die Bastille stürmten
    als ich laufen konnte
    als ich tanzen ging
als sie das Rad erfanden
den Rum und die Garotte
    als sie mich zum Schießen holten
als Rembrandts Vater von den Weizenpreisen sprach
als Seine Heiligkeit der Papst sich irrte

als sie Ihn kreuzigten
als sie New York zerstörten
als der Regen kam
    als die Läuse kamen
als Pharao
als die Philister
als sie den Ararat erreichten
als es schneite
    als als ich starb
die Sonne schien

Fritz Graßhoff

Weltende

Dem Bürger fliegt vom spitzen Kopf der Hut,
In allen Lüften hallt es wie Geschrei,
Dachdecker stürzen ab und gehn entzwei
Und an den Küsten – liest man – steigt die Flut.

Der Sturm ist da, die wilden Meere hupfen
An Land, um dicke Dämme zu zerdrücken.
Die meisten Menschen haben einen Schnupfen.
Die Eisenbahnen fallen von den Brücken.

Jakob van Hoddis

Stern

Jahrelang reiste
eilig das Licht dieses Sterns.
Jetzt trifft's bei mir ein.

Josef Guggenmos

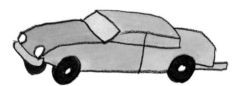

Hast du was – dann bist du was

Fehlt dir was – dann brauchst du was
Brauchst du was – dann mußt du was
Mußt du was – dann tust du was
Tust du was – dann kriegst du was
Kriegst du was – dann bist du was …

Bist du was – dann brauchst du mehr
Brauchst du mehr – dann mußt du mehr
Mußt du mehr – dann tust du mehr
Tust du mehr – dann kriegst du mehr
Kriegst du mehr – dann hast du mehr
Hast du mehr – dann bist du mehr …

Bist du mehr – brauchst du mehr mehr
Immer immer immer mehr
Schließlich kannst du nimmer mehr
Und brauchst überhaupt nichts mehr …

Michail Krausnick

Floskeln

offengestanden
mir fehlen die worte
immerhin
andersherum gefragt
mag sein
überhaupt
bei lichte betrachtet
find ich ja witzig
allen ernstes
das ist nun mal so
jedenfalls
ohne langes gerede
na klar
mach keine geschichten
im übrigen
ganz unter uns
da kann man nichts machen
ehrlich
und außerdem
was soll das
kurz und gut
angenommen
ich denke
nun mal genau

Rudolf Otto Wiemer

Die schlesischen Weber

Im düstern Auge keine Träne,
Sie sitzen am Webstuhl und fletschen die Zähne:
Deutschland, wir weben dein Leichentuch,
Wir weben hinein den dreifachen Fluch –
   Wir weben, wir weben!

Ein Fluch dem Gotte, zu dem wir gebeten
In Winterskälte und Hungersnöten;
Wir haben vergebens gehofft und geharrt,
Er hat uns geäfft und gefoppt und genarrt –
   Wir weben, wir weben!

Ein Fluch dem König, dem König der Reichen,
Den unser Elend nicht konnte erweichen,
Der den letzten Groschen von uns erpreßt,
Und uns wie Hunde erschießen läßt –
   Wir weben, wir weben!

Ein Fluch dem falschen Vaterlande,
Wo nur gedeihen Schmach und Schande,
Wo jede Blume früh geknickt,
Wo Fäulnis und Moder den Wurm erquickt –
   Wir weben, wir weben!

Das Schiffchen fliegt, der Webstuhl kracht,
Wir weben emsig Tag und Nacht –
Altdeutschland, wir weben dein Leichentuch.
Wir weben hinein den dreifachen Fluch.
   Wir weben, wir weben!
                Heinrich Heine

Warum sich Raben streiten

Weißt du, warum sich Raben streiten?
Um Würmer und Körner und Kleinigkeiten,

um Schneckenhäuser und Blätter und Blumen
und Kuchenkrümel und Käsekrumen

und darum, wer recht hat und unrecht, und dann
auch darum, wer schöner singen kann.

Mitunter streiten sich Raben wie toll
darum, wer was tun und lassen soll,

und darum, wer erster ist, letzter und zweiter
und dritter und vierter und so weiter.

Raben streiten um jeden Mist.
Und wenn der Streit mal zu Ende ist,

weißt du, was Raben dann sagen?
Komm, wir wollen uns wieder vertragen!

Frantz Wittkamp

Humorlos

Die Jungen
werfen
zum Spaß
mit Steinen
nach Fröschen.

Die Frösche
sterben
im Ernst.

Erich Fried

Ein Jahr ist nun geschwunden,
Seit du geschieden bist,
Und wie zwei trübe Stunden
Gemahnt mich diese Frist.

Und hättest du gelebet,
Mein Kindchen, dieses Jahr,
So wär' die Frist entschwebet
Ein helles Stundenpaar.

Ob trüber oder heller,
Wie Stunden sind sie nur,
Ob langsamer, ob schneller,
Entschwunden ohne Spur.

Nun, seit ich auf der Bahre
Dich mußte sehn, mein Kind,
Denk' ich, wie wenig Jahre
Verliehn dem Menschen sind.

Einst wünscht' ich langes Leben,
Um lang' dich blühn zu sehn;
Nun mag es schnell entschweben,
Da ich dich sah vergehn.

Friedrich Rückert

Das Hexenkind

Das junge Ding hieß Ilse Watt.
Sie ward im Waisenhaus erzogen.
Dort galt sie für verstockt, verlogen,
Weil sie kein Wort gesprochen hat
Und weil man ihr es sehr verdachte,
Daß sie schon früh, wenn sie erwachte,
Ganz leise vor sich hinlachte.

Man nannte sie, weil ihr Betragen
So seltsam war, das Hexenkind.
Allüberall ward sie gescholten.
Doch wagte niemand, sie zu schlagen.
Denn sie war von Geburt her blind.

Die Ilse hat für frech gegolten,
Weil sie, wenn man zu Bett sie brachte,
Noch leise vor sich hinlachte.

In ihrem Bettchen blaß und matt
Lag sterbend eines Tags die kranke
Und stille, blinde Ilse Watt,
Lächelte wie aus andern Welten
Und sprach zu einer Angestellten,
Die ihr das Haar gestreichelt hat,
Ganz laut und glücklich noch: „Ich danke.“

Joachim Ringelnatz

Seht ihr den Mond dort stehen? –
Er ist nur halb zu sehen
    Und ist doch rund und schön!
So sind wohl manche Sachen,
Die wir getrost belachen,
    Weil unsre Augen sie nicht sehn.

Wir stolze Menschenkinder
Sind eitel arme Sünder
    Und wissen gar nicht viel;
Wir spinnen Luftgespinste
Und suchen viele Künste
    Und kommen weiter von dem Ziel.

Gott, laß uns *dein* Heil schauen,
Auf nichts Vergänglichs trauen,
    Nicht Eitelkeit uns freun!
Laß uns einfältig werden
Und vor dir hier auf Erden
    Wie Kinder fromm und fröhlich sein!

Abendlied

Der Mond ist aufgegangen,
Die goldnen Sternlein prangen
    Am Himmel hell und klar;
Der Wald steht schwarz und schweiget,
Und aus den Wiesen steiget
    Der weiße Nebel wunderbar.

Wie ist die Welt so stille
Und in der Dämmrung Hülle
    So traulich und so hold!
Als eine stille Kammer,
Wo ihr des Tages Jammer
    Verschlafen und vergessen sollt.

Wollst endlich sonder Grämen
Aus dieser Welt uns nehmen
    Durch einen sanften Tod!
Und wenn du uns genommen,
Laß uns in Himmel kommen,
    Du unser Herr und unser Gott!

So legt euch denn, ihr Brüder,
In Gottes Namen nieder;
    Kalt ist der Abendhauch.
Verschon uns, Gott, mit Strafen
Und laß uns ruhig schlafen,
    Und unsern kranken Nachbar auch!
                                    Matthias Claudius

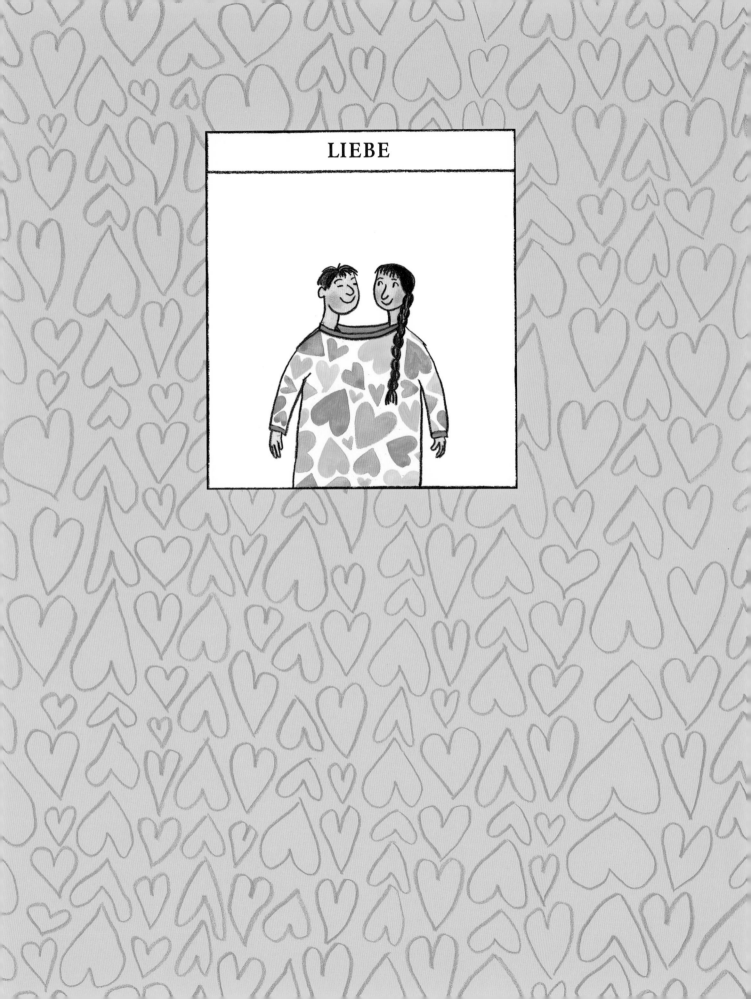

LIEBE

Es war einmal ein treuer Husar,
der liebt sein Mädchen ein ganzes Jahr,
ein ganzes Jahr und noch viel mehr,
die Liebe nahm kein Ende mehr.

Der Husar zog in ein fremdes Land,
unterdessen war sein Liebchen krank,
ja krank, ja krank und noch viel mehr,
die Krankheit nahm kein Ende mehr.

Und als der Husar die Botschaft kriegt,
daß seine Liebste im Sterben liegt,
verließ er gleich sein Hab und Gut
und eilt zu seiner Liebsten zu.

Und als er zum Schatzliebchen kam,
ganz leise gab sie ihm die Hand,
die ganze Hand und noch viel mehr,
die Liebe nahm kein Ende mehr.

Holder Engel Pumpenschwengel
Heißgeliebtes Trampeltier
Du hast Augen wie Sardellen
Alle Ochsen gleichen dir
Du bist gerührt wie Apfelmus
Und kernig wie Spinat
Dein Herz schlägt wie ein Pferdefuß
Wenn du Geburtstag hast

Heimliche Liebe

Kein Feuer, keine Kohle
kann brennen so heiß,
als heimliche Liebe,
von der niemand nichts weiß.

Keine Rose, keine Nelke
kann blühen so schön,
als wenn zwei verliebte Seelen
beieinander tun stehn.

Setze du mir einen Spiegel
ins Herze hinein,
damit du kannst sehen,
wie so treu ich es mein'.

Petersilie Suppenkraut
wächst in unserm Garten.
Unser Annchen* ist die Braut,
soll nicht lang mehr warten.
Roter Wein und weißer Wein,
morgen soll die Hochzeit sein.

* Statt „Annchen"
wird der richtige Name
des Mädchens
eingesetzt.

Ein Jüngling liebt ein Mädchen,
Die hat einen andern erwählt;
Der andre liebt eine andre,
Und hat sich mit dieser vermählt.

Das Mädchen heiratet aus Ärger
Den ersten besten Mann,
Der ihr in den Weg gelaufen;
Der Jüngling ist übel dran.

Es ist eine alte Geschichte,
Doch bleibt sie immer neu;
Und wem sie just passieret,
Dem bricht das Herz entzwei.

Heinrich Heine

Gedicht in Bi-Sprache

Ibich, habibebi dibich,
Lobittebi, sobi liebib.
Habist aubich dubi mibich
Liebib? Neibin, vebirgibib.

Nabih obidebir febirn,
Gobitt seibi dibir gubit.
Meibin Hebirz habit gebirn
Abin dibir gebirubiht.

Joachim Ringelnatz

Ein männlicher Briefmark erlebte
Was Schönes, bevor er klebte.
Er war von einer Prinzessin beleckt.
Da war die Liebe in ihm erweckt.

Er wollte sie wiederküssen,
Da hat er verreisen müssen.
So liebte er sie vergebens.
Das ist Tragik des Lebens!

Joachim Ringelnatz

Es waren zwei Königskinder

Es waren zwei Königskinder,
Die hatten einander so lieb,
Sie konnten zusammen nicht kommen,
Das Wasser war viel zu tief.

„Ach, Liebster, könntest du schwimmen,
So schwimm doch herüber zu mir!
Drei Kerzen will ich anzünden,
Und die sollen leuchten zu dir."

Das hört' ein falsches Nönnchen,
Die tat, als wenn sie schlief,
Sie tät die Kerzlein auslöschen,
Der Jüngling ertrank so tief.

Herzlose Leute haben
das so umgedichtet:

Es waren zwei Königskinder,
Die hatten einander so lieb,
Sie konnten zusammen nicht kommen,
Es war kein Fährbetrieb.

An Anna Blume

O du, Geliebte meiner siebenundzwanzig Sinne, ich
liebe dir! – Du deiner dich dir, ich dir, du mir.
– Wir?
Das gehört (beiläufig) nicht hierher.
Wer bist du, ungezähltes Frauenzimmer? Du bist
– bist du? – Die Leute sagen, du wärest –, laß
sie sagen, sie wissen nicht, wie der Kirchturm steht.
Du trägst den Hut auf deinen Füßen und wanderst
auf die Hände, auf den Händen wanderst du.
Hallo, deine roten Kleider, in weiße Falten zersägt.
Rot liebe ich Anna Blume, rot liebe ich dir! – Du
deiner dich dir, ich dir, du mir. – Wir?
Das gehört (beiläufig) in die kalte Glut.

Rote Blume, rote Anna Blume, wie sagen die Leute?
Preisfrage: 1.) Anna Blume hat ein Vogel.
              2.) Anna Blume ist rot.
              3.) Welche Farbe hat der Vogel?

Blau ist die Farbe deines gelben Haares.
Rot ist das Girren deines grünen Vogels.
Du schlichtes Mädchen im Alltagskleid, du liebes
grünes Tier, ich liebe dir! – Du deiner dich dir, ich
dir, du mir. – Wir?
Das gehört (beiläufig) in die Glutenkiste.
Anna Blume! Anna, a-n-n-a, ich träufle deinen
Namen. Dein Name tropft wie weiches Rindertalg.
Weißt du es, Anna, weißt du es schon?
Man kann dich auch von hinten lesen, und du, du
Herrlichste von allen, du bist von hinten wie von vorne:
„a-n-n-a". Rindertalg träufelt streichelnd über meinen Rücken.
Anna Blume, du tropfes Tier, ich liebe dir!

Kurt Schwitters

Eule und Kätzchen

Eule und Kätzchen, die fuhren zur See
(und ihr Boot, das war grün wie Gras)
mit drei Eimern Quark und dreihundert Mark
im Sparschwein aus grünem Glas.
Die Eul', verträumt, sah zum Abendstern
und sang für die Katz dies Lied:
Geliebtes Kätzchen, ich hab dich so gern,
ich hab dich so schrecklich lieb,
so lieb,
so lieb,
ich hab dich so schrecklich lieb!

Sprach's Kätzchen zur Eule: Ich lieb dein Geheule,
du singst wie ein Schmetterling!
Wir heiraten morgen; das Kleid kann ich borgen,
doch was soll'n wir nehmen als Ring?
Sie segelten weit, und sie brauchten viel Zeit
zum Land mit dem Grisen-Gras,
und dort, gleich am Strand, ein Schwine-Schwein stand,
und es trug einen Ring in der Nas',
der Nas',
der Nas',
und es trug einen Ring in der Nas'.

Oh, tausch uns für Quark und die dreihundert Mark
den Ring! Sagte Schweinchen: Ja, gern!
Das Kätzchen wurd' Braut und die beiden getraut
vom Truthahn, dem uralten Herrn.
Sie tranken Kaffee mit Quittengelee,
denn das mochten sie beide so sehr.
Und Hand in Hand, durch den schneeweißen Sand,
so tanzten sie Tango am Meer,
am Meer,
am Meer,
so tanzten sie Tango am Meer.

Edward Lear (Nachdichtung: Salah Naoura)

Traumkarte für Christine

Ich höre, du hast geträumt,
ich hätte dir Postkarten geschrieben,
aber nicht gewagt, sie abzuschicken.
Dabei habe ich nicht einmal gewagt,
dir Postkarten zu *schreiben*.
Diese Traumkarte schicke ich jetzt ab.
Arnfrid Astel

Willkommen und Abschied

Es schlug mein Herz, geschwind zu Pferde!
Es war getan fast eh gedacht.
Der Abend wiegte schon die Erde,
Und an den Bergen hing die Nacht;
Schon stand im Nebelkleid die Eiche,
Ein aufgetürmter Riese, da,
Wo Finsternis aus dem Gesträuche
Mit hundert schwarzen Augen sah.

Der Mond von einem Wolkenhügel
Sah kläglich aus dem Duft hervor,
Die Winde schwangen leise Flügel,
Umsausten schauerlich mein Ohr;
Die Nacht schuf tausend Ungeheuer,
Doch frisch und fröhlich war mein Mut:
In meinen Adern welches Feuer!
In meinem Herzen welche Glut!

Dich sah ich, und die milde Freude
Floß von dem süßen Blick auf mich;
Ganz war mein Herz an deiner Seite
Und jeder Atemzug für dich.
Ein rosenfarbnes Frühlingswetter
Umgab das liebliche Gesicht,
Und Zärtlichkeit für mich – ihr Götter!
Ich hofft' es, ich verdient' es nicht!

Doch ach, schon mit der Morgensonne
Verengt der Abschied mir das Herz:
In deinen Küssen welche Wonne!
In deinem Auge welcher Schmerz!
Ich ging, du standst und sahst zur Erden
Und sahst mir nach mit nassem Blick:
Und doch, welch Glück, geliebt zu werden!
Und lieben, Götter, welch ein Glück!

Johann Wolfgang Goethe

GESCHICHTEN – GEDICHTE

Neues vom Rumpelstilzchen

Dem Rumpelstilzchen geht's nicht gut,
ihm ist so zweierlei zumut.
Jähzornig ist es von Natur,
von Selbstbeherrschung keine Spur.

Noch gestern war es quicklebendig,
doch heut hat es sich eigenhändig
der Länge nach entzweigerissen,
drum geht es ihm gar so beschissen.

Da liegt es nun im Krankenhaus
und sieht nicht sehr erfreulich aus.
Die Schwestern sind dort wirklich nett
und geben ihm ein Doppelbett.

Aus dieser leidigen Affäre
zieht es nun hoffentlich die Lehre,
sich zweimal erst zu überlegen,
ob es sich lohnt, sich aufzuregen.

Richard Bletschacher

Ein sehr kurzes Märchen

Hänsel und Knödel,
die gingen in den Wald.
Nach längerem Getrödel
rief Hänsel plötzlich: „Halt!"

Ihr alle kennt die Fabel,
des Schicksals dunklen Lauf:
Der Hänsel nahm die Gabel
und aß den Knödel auf.

Michael Ende

Es war einmal und ist nicht mehr
ein dicker, dicker Teddybär.

Himpelchen und Pimpelchen,
die gingen auf einen Berg.
Himpelchen war ein Heinzelmann,
und Pimpelchen war ein Zwerg.
Sie blieben lange da oben sitzen
und wackelten mit den Zipfelmützen.

Der alte Wolf
Auch 'n Märchen

Der Wolf, verkalkt und schon fast blind,
traf eine junge Dame:
„Bist du nicht *Rotkäppchen*, mein Kind?"
Da sprach die Dame: „Herr, Sie sind – – –!*
Schneewittchen ist mein Name!"

„Schneewittchen? Ach, dann bist du die
mit diesen *7 Raben*?"
Sie antwortete: „Lassen Sie
sich lieber gleich begraben!
Mit *7 Zwergen* hatt ich mal
zu tun – das waren nette …!"
„Ach ja! du durftest nicht zum Ball,
und *Erbsen* waren nicht dein Fall,
besonders nicht im Bette …!"

Da lachte sie hell ha-ha-ha,
dann: „Darf ich Sie was fragen?
Sie fraßen doch die *Großmama*,
wie hab'n Sie die vertragen?"

„Das ist nicht wahr, daß ich sie fraß,
ich krümmte ihr kein Härchen!
Die Brüder *Grimm*, die schrieben das
für kleine Kinderchen zum Spaß –
das sind doch alles Märchen …!"

Heinz Erhardt

* – – – wohl blöd?" wollte sie sagen.
Aber so etwas *denkt* eine Dame nur!

Schneewittchen

Ein Mädel, das Schneewittchen war,
das hat von Mai bis Januar
für sieben Tröpfe
gescheuert Töpfe,
gerieben Zwiebeln,
gelesen Bibeln,
gekocht die Schwarten,
gepflegt den Garten,
gewickelt Kinder,
gemolken Rinder,
geschrubbt die Schränke,
geholt Getränke.
Dann hat's (die Zwerge warn empört)
gestreikt (mit Arbeit aufgehört),
weil es gemerkt hat: Solche Sachen
sind leicht von Zwergen selbst zu machen.

Die Zwerge wollten sie draufhin
mit Hilf' der bösen Königin
durch Gift ums Leben bringen –
das sollte nicht gelingen:
Der junge Prinz nahm sie ins Haus
und sagte: „Hier kennst du dich aus.
Wasch Wäsche und koch Suppen
und spiele lieb mit Puppen!"
Sie sprach: „Das ist mir über.
Ich gehe jetzt, mein Lieber.
Vor Prinzen und vor Zwergen
will ich mich nun verbergen.
Es gibt auch bessre Leute!"

Vielleicht gibt es die heute?
Michael Kumpe

Die Heinzelmännchen

Wie war zu Köln es doch vordem
Mit Heinzelmännchen so bequem!
Denn, war man faul, … man legte sich
Hin auf die Bank und pflegte sich:
        Da kamen bei Nacht;
        Ehe man's gedacht,
    Die Männlein und schwärmten
    Und klappten und lärmten,
            Und rupften
            Und zupften,
    Und hüpften und trabten
    Und putzten und schabten …
Und eh ein Faulpelz noch erwacht, …
War all sein Tagewerk …
            bereits gemacht!

Die Zimmerleute streckten sich
Hin auf die Spän' und reckten sich.
Indessen kam die Geisterschar
Und sah was da zu zimmern war.
        Nahm Meißel und Beil
        Und die Säg' in Eil;
    Sie sägten und stachen
    Und hieben und brachen,
            Berappten
            Und kappten,
    Visierten wie Falken
    Und setzten die Balken …
Eh sich's der Zimmermann versah …
Klapp, stand das ganze Haus …
            schon fertig da!

Beim Bäckermeister war nicht Not,
Die Heinzelmännchen backten Brot.
Die faulen Burschen legten sich,
Die Heinzelmännchen regten sich –
        Und ächzten daher
        Mit den Säcken schwer!
    Und kneteten tüchtig
    Und wogen es richtig,
            Und hoben
            Und schoben,
    Und fegten und backten
    Und klopften und hackten.
Die Burschen schnarchten noch im Chor:
Da rückte schon das Brot, …
            das neue, vor!

Beim Fleischer ging es just so zu:
Gesell und Bursche lag in Ruh.
Indessen kamen die Männlein her
Und hackten das Schwein die Kreuz
                    und Quer.
        Das ging so geschwind
          Wie die Mühl' im Wind!
      Die klappten mit Beilen,
      Die schnitzten an Speilen,
            Die spülten
            Die wühlten,
      Und mengten und mischten
      Und stopften und wischten.
Tat der Gesell die Augen auf …
Wapp! hing die Wurst da schon
              im Ausverkauf!

Beim Schenken war es so: es trank
Der Küfer bis er niedersank,
Am hohlen Fasse schlief er ein,
Die Männlein sorgten um den Wein,
        Und schwefelten fein
          Alle Fässer ein,
      Und rollten und hoben
      Mit Winden und Kloben,
            Und schwenkten
            Und senkten,
      Und gossen und panschten
      Und mengten und manschten.
Und eh der Küfer noch erwacht,
War schon der Wein geschönt
              und fein gemacht!

Einst hatt' ein Schneider große Pein:
Der Staatsrock sollte fertig sein;
Warf hin das Zeug und legte sich
Hin auf das Ohr und pflegte sich.
        Da schlüpften sie frisch
          In den Schneidertisch;
      Da schnitten und rückten
      Und nähten und stickten,
            Und faßten
            Und paßten,
      Und strichen und guckten
      Und zupften und ruckten,
Und eh mein Schneiderlein erwacht:
War Bürgermeisters Rock …
              bereits gemacht!

Neugierig war des Schneiders Weib,
Und macht sich diesen Zeitvertreib:
Streut Erbsen hin die andre Nacht,
Die Heinzelmännchen kommen sacht:
    Eins fähret nun aus,
    Schlägt hin im Haus,
  Die gleiten von Stufen
  Und plumpen in Kufen,
     Die fallen
     Mit Schallen,
  Die lärmen und schreien,
  Und vermaledeien!
Sie springt hinunter auf den Schall
Mit Licht: husch husch husch husch! –
     verschwinden all!

O weh! nun sind sie alle fort
Und keines ist mehr hier am Ort!
Man kann nicht mehr wie sonsten ruhn,
Man muß nun alles selber tun!
    Ein jeder muß fein
    Selbst fleißig sein,
  Und kratzen und schaben
  Und rennen und traben,
     Und schniegeln
     Und biegeln,
  Und klopfen und hacken
  Und kochen und backen.
Ach, daß es noch wie damals wär!
Doch kommt die schöne Zeit
     nicht wieder her!

August Kopisch

Der Zauberlehrling

Hat der alte Hexenmeister
Sich doch einmal wegbegeben!
Und nun sollen seine Geister
Auch nach meinem Willen leben.
Seine Wort' und Werke
Merkt' ich und den Brauch,
Und mit Geistesstärke
Tu' ich Wunder auch.

Walle! walle
Manche Strecke,
Daß zum Zwecke
Wasser fließe,
Und mit reichem, vollem Schwalle
Zu dem Bade sich ergieße!

Und nun komm, du alter Besen!
Nimm die schlechten Lumpenhüllen!
Bist schon lange Knecht gewesen;
Nun erfülle meinen Willen!
Auf zwei Beinen stehe,
Oben sei ein Kopf,
Eile nun und gehe
Mit dem Wassertopf!

Walle! walle
Manche Strecke,
Daß zum Zwecke
Wasser fließe,
Und mit reichem, vollem Schwalle
Zu dem Bade sich ergieße!

Seht, er läuft zum Ufer nieder;
Wahrlich! ist schon an dem Flusse,
Und mit Blitzesschnelle wieder
Ist er hier mit raschem Gusse.
Schon zum zweiten Male!
Wie das Becken schwillt!
Wie sich jede Schale
Voll mit Wasser füllt!

Stehe! stehe!
Denn wir haben
Deiner Gaben
Vollgemessen! –
Ach, ich merk' es! Wehe! wehe!
Hab' ich doch das Wort vergessen!

Ach, das Wort, worauf am Ende
Er das wird, was er gewesen.
Ach, er läuft und bringt behende!
Wärst du doch der alte Besen!
Immer neue Güsse
Bringt er schnell herein,
Ach! und hundert Flüsse
Stürzen auf mich ein.

Nein, nicht länger
Kann ich's lassen;
Will ihn fassen.
Das ist Tücke!
Ach! nun wird mir
    immer bänger!
Welche Miene!
    welche Blicke!

O, du Ausgeburt der Hölle!
Soll das ganze Haus ersaufen?
Seh' ich über jede Schwelle
Doch schon Wasserströme laufen.
Ein verruchter Besen,
Der nicht hören will!
Stock, der du gewesen,
Steh doch wieder still!

Willst's am Ende
Gar nicht lassen?
Will dich fassen,
Will dich halten,
Und das alte Holz behende
Mit dem scharfen Beile spalten.

Seht, da kommt er schleppend wieder!
Wie ich mich nun auf dich werfe,
Gleich, o Kobold, liegst du nieder;
Krachend trifft die glatte Schärfe!
Wahrlich, brav getroffen!
Seht, er ist entzwei!
Und nun kann ich hoffen,
Und ich atme frei!

Wehe! wehe!
Beide Teile
Stehn in Eile
Schon als Knechte
Völlig fertig in die Höhe!
Helft mir, ach! ihr hohen Mächte!

Und sie laufen! Naß und nässer
Wird's im Saal und auf den Stufen.
Welch entsetzliches Gewässer!
Herr und Meister! hör' mich rufen! –
Ach, da kommt der Meister!
Herr, die Not ist groß!
Die ich rief, die Geister,
Werd' ich nun nicht los.

„In die Ecke,
Besen! Besen!
Seid's gewesen!
Denn als Geister
Ruft euch nur zu seinem Zwecke
Erst hervor der alte Meister."

Johann Wolfgang Goethe

Der Zipferlake

Verdaustig war's, und glasse Wieben
Rotterten gorkicht im Gemank;
Gar elump war der Pluckerwank,
Und die gabben Schweisel frieben.

„Hab acht vorm Zipferlak, mein Kind!
Sein Maul ist beiß, sein Griff ist bohr!
Vorm Fliegelflagel sieh dich vor,
Dem mampfen Schnatterrind!"

Er zückt' sein scharfgebifftes Schwert,
Den Feind zu futzen ohne Saum,
Und lehnt' sich an den Dudelbaum
Und stand da lang in sich gekehrt,

In sich gekeimt, so stand er hier:
Da kam verschnoff der Zipferlak
Mit Flammenlefze angewackt
Und gurgt' in seiner Gier.

Mit eins! und zwei! und bis aufs Bein!
Die biffe Klinge ritscheropf!
Trennt er vom Hals den toten Kopf,
Und wichernd sprengt er heim.

„Vom Zipferlak hast uns befreit?
Komm an mein Herz, aromer Sohn!
O blumer Tag! O schlusse Fron!"
So kröpfte er vor Freud.

Verdaustig war's, und glasse Wieben
Rotterten gorkicht im Gemank;
Gar elump war der Pluckerwank,
Und die gabben Schweisel frieben.
Lewis Carroll (Nachdichtung: Christian Enzensberger)

Mariechen

Mariechen saß weinend im Garten,
im Grase lag schlummernd ihr Kind.
Mit ihren goldblonden Locken,
spielt säuselnd der Abendwind.
Sie war so müd und traurig,
so einsam, geisterbleich.
Die dunklen Wolken zogen,
und Wellen schlug der Teich.

Ein Geier flog stolz durch die Lüfte,
schon zog sich die Möwe einher,
schon weht der Wind durch die Blätter,
schon fallen die Tropfen schwer.
Schwer von Mariechens Wangen
eine heiße Träne rinnt,
sie schließt in ihre Arme
ihr kleines verlassenes Kind.

Dein Vater lebt lustig in Freuden,
Gott laß es ihm wohl ergehn,
er denkt nicht mehr an uns beide,
will dich und mich nicht sehn.
Drum wollen wir uns stürzen
hinab in die tiefe See,
dort sind wir beide geborgen
vor Kummer, Leid und Weh.

Das Kind erhebt seine Augen
zur Mutter auf und ab,
die Mutter drückt's an ihr Herz
und spricht mit zarter Kraft:
Nein, nein, wir wollen leben,
wir beide, du und ich,
deinem Vater sei alles vergeben,
so glücklich machst du mich.

Herr von Ribbeck auf Ribbeck im Havelland

Herr von Ribbeck auf Ribbeck im Havelland,
Ein Birnbaum in seinem Garten stand,
Und kam die goldene Herbsteszeit
Und die Birnen leuchteten weit und breit,
Da stopfte, wenn's Mittag vom Turme scholl,
Der von Ribbeck sich beide Taschen voll,
Und kam in Pantinen ein Junge daher,
So rief er: „Junge, wiste 'ne Beer?"
Und kam ein Mädel, so rief er: „Lütt Dirn,
Kumm man röwer, ick hebb 'ne Birn."

So ging es viel Jahre, bis lobesam
Der von Ribbeck auf Ribbeck zu sterben kam.
Er fühlte sein Ende. 's war Herbsteszeit,
Wieder lachten die Birnen weit und breit,
Da sagte von Ribbeck: „Ich scheide nun ab.
Legt mir eine Birne mit ins Grab."
Und drei Tage drauf, aus dem Doppeldachhaus,
Trugen von Ribbeck sie hinaus,
Alle Bauern und Büdner mit Feiergesicht
Sangen „Jesus meine Zuversicht",
Und die Kinder klagten, das Herze schwer:
„He is dod nu. Wer giwt uns nu 'ne Beer?"

So klagten die Kinder. Das war nicht recht –
Ach, sie kannten den alten Ribbeck schlecht,
Der neue freilich, der knausert und spart,
Hält Park und Birnbaum strenge verwahrt.
Aber der alte, vorahnend schon
Und voll Mißtraun gegen den eigenen Sohn,
Der wußte genau, was damals er tat,
Als um eine Birn' ins Grab er bat;
Und im dritten Jahr aus dem stillen Haus
Ein Birnbaumsprößling sproßt heraus.

Und die Jahre gehen wohl auf und ab,
Längst wölbt sich ein Birnbaum über dem Grab,
Und in der goldenen Herbsteszeit
Leuchtet's wieder weit und breit.
Und kommt ein Jung' übern Kirchhof her,
So flüstert's im Baume: „Wiste 'ne Beer?"
Und kommt ein Mädel, so flüstert's: „Lütt Dirn,
Kumm man röver, ick gew di 'ne Birn."
So spendet Segen noch immer die Hand
Des von Ribbeck auf Ribbeck im Havelland.

Theodor Fontane

Erlkönig

Wer reitet so spät durch Nacht und Wind?
Es ist der Vater mit seinem Kind;
er hat den Knaben wohl in dem Arm,
er faßt ihn sicher, er hält ihn warm.

„Mein Sohn, was birgst du so bang dein Gesicht?“
„Siehst, Vater, du den Erlkönig nicht?
Den Erlenkönig mit Kron’ und Schweif?“
„Mein Sohn, es ist ein Nebelstreif.“

„Du liebes Kind, komm, geh mit mir!
Gar schöne Spiele spiel’ ich mit dir;
manch bunte Blumen sind an dem Strand,
meine Mutter hat manch gülden Gewand.“

„Mein Vater, mein Vater, und hörest du nicht,
was Erlenkönig mir leise verspricht?“
„Sei ruhig, bleibe ruhig, mein Kind;
in dürren Blättern säuselt der Wind.“

„Willst, feiner Knabe, du mit mir gehn?
Meine Töchter sollen dich warten schön;
meine Töchter führen den nächtlichen Reih’n
und wiegen und tanzen und singen dich ein.“

„Mein Vater, mein Vater, und siehst du nicht dort
Erlkönigs Töchter am düstern Ort?"
„Mein Sohn, mein Sohn, ich seh' es genau,
es scheinen die alten Weiden so grau."

„Ich liebe dich, mich reizt deine schöne Gestalt;
und bist du nicht willig, so brauch' ich Gewalt."
„Mein Vater, mein Vater, jetzt faßt er mich an!
Erlkönig hat mir ein Leids getan!"

Dem Vater grauset's, er reitet geschwind,
er hält in den Armen das ächzende Kind,
erreicht den Hof mit Müh' und Not;
in seinen Armen das Kind war tot.

Johann Wolfgang Goethe

Und das ist die Kurzfassung,
wahrscheinlich von jemandem,
der keine Lust hatte,
den ganzen „Erlkönig"
auswendig zu lernen:

Vadda und Kind
Reiten im Wind
Kommt 'n Mann
Quatscht se an
Ob der Kleene
Nich mitkomm' kann
Vadda sacht: Nee
Kind: Wehweh
Vadda nach Haus
Kind tot, aus

Belsazar

Die Mitternacht zog näher schon;
In stummer Ruh lag Babylon.

Nur oben in des Königs Schloß,
Da flackert's, da lärmt des Königs Troß.

Dort oben in dem Königssaal
Belsazar hielt sein Königsmahl.

Die Knechte saßen in schimmernden Reihn,
Und leerten die Becher mit funkelndem Wein.

Es klirrten die Becher, es jauchzten die Knecht;
So klang es dem störrigen Könige recht.

Des Königs Wangen leuchten Glut;
Im Wein erwuchs ihm kecker Mut.

Und blindlings reißt der Mut ihn fort;
Und er lästert die Gottheit mit sündigem Wort.

Und er brüstet sich frech, und lästert wild;
Die Knechtenschar ihm Beifall brüllt.

Der König rief mit stolzem Blick;
Der Diener eilt und kehrt zurück.

Er trug viel gülden Gerät auf dem Haupt;
Das war aus dem Tempel Jehovas geraubt.

Und der König ergriff mit frevler Hand
Einen heiligen Becher, gefüllt bis am Rand.

Und er leert ihn hastig bis auf den Grund,
Und rufet laut mit schäumendem Mund:

Jehova! dir künd ich auf ewig Hohn –
Ich bin der König von Babylon!

Doch kaum das grause Wort verklang,
Dem König ward's heimlich im Busen bang.

Das gellende Lachen verstummte zumal;
Es wurde leichenstill im Saal.

Und sieh! und sieh! an weißer Wand
Da kam's hervor wie Menschenhand;

Und schrieb, und schrieb an weißer Wand
Buchstaben von Feuer, und schrieb und schwand.

Der König stieren Blicks da saß,
Mit schlotternden Knien und totenblaß.

Die Knechtenschar saß kalt durchgraut,
Und saß gar still, gab keinen Laut.

Die Magier kamen, doch keiner verstand
Zu deuten die Flammenschrift an der Wand.

Belsazar ward aber in selbiger Nacht
Von seinen Knechten umgebracht.

Heinrich Heine

Variationen

Im bloßen Hemd umringt von Gästen
tief in Gedanken stand Petrov.
Die Gäste schwiegen.   Am Kamin
aus Stahl ein Thermometer hing.
Die Gäste schwiegen.   Am Kamin
Ein Jagdhorn hing nicht ganz geheuer.
Petrov stand.   Und es schlug die Uhr,
es krachte im Kamin ein Feuer.
Die finstren Gäste schwiegen nur.
Petrov stand.   Im Kamin das Feuer.
Die Uhr schlug acht.   Acht schlug die Uhr.
Aus Stahl das Thermometer blitzte.
Im bloßen Hemd umringt von Gästen
Petrov tief in Gedanken schwitzte.
Die Gäste schwiegen.   Am Kamin
ein ungeheures Jagdhorn hing.
Geheimnisvoll schwieg auch die Uhr.

Es tanzte im Kamin das Feuer.
Petrov sich in Gedanken setzte
auf einen Hocker …   Da zerfetzte
die Luft ein Klingeln ungeheuer,
das Schloß sprang auf, das immer feste,
Petrov sprang auf, und auch die Gäste.
Das Jagdhorn dröhnt, es klingt wie Spott,
Petrov stöhnt: „O mein Gott, mein Gott!"
und fällt zu Boden und ist tot.
Die Gäste weinen, heulen, zetern,
sie schütteln wild das Thermometer,
sie hasten hin und her und schrein,
dann tragen sie den Sarg herein.
Der Sarg wird zugekorkt vernagelt,
der Abend ist total verhagelt.
Und so verlassen sie das Haus
und rufen: „So, Schluß, fertig, aus!"

Daniil Charms (Übersetzung: Peter Urban)

Ich weiß nicht, was soll es bedeuten,
Daß ich so traurig bin;
Ein Märchen aus alten Zeiten,
Das kommt mir nicht aus dem Sinn.

Die Luft ist kühl und es dunkelt,
Und ruhig fließt der Rhein;
Der Gipfel des Berges funkelt
Im Abendsonnenschein.

Die schönste Jungfrau sitzet
Dort oben wunderbar,
Ihr goldnes Geschmeide blitzet,
Sie kämmt ihr goldenes Haar.

Sie kämmt es mit goldenem Kamme,
Und singt ein Lied dabei:
Das hat eine wundersame,
Gewaltige Melodei.

Den Schiffer im kleinen Schiffe
Ergreift es mit wildem Weh;
Er schaut nicht die Felsenriffe,
Er schaut nur hinauf in die Höh.

Ich glaube, die Wellen verschlingen
Am Ende Schiffer und Kahn;
Und das hat mit ihrem Singen
Die Lorelei getan.

Heinrich Heine

Jetzt ist's aus, da rennt eine Maus,
hat einen roten Kittel an,
morgen fängt die Geschicht wieder an!

VERZEICHNIS DER AUTOREN,
GEDICHTE UND QUELLEN

Die Orthographie und Interpunktion der hier versammelten Texte wurden behutsam dem heutigen Gebrauch angeglichen. Apostrophe wurden zusätzlich nur dort gesetzt, wo sie für das Textverständnis hilfreich erschienen.

Hans Carl Artmann (1921–2000) ist freier Schriftsteller und lebte als Bohemien in Wien, Berlin, Malmö und Salzburg. Er hat sich mit seinen witzigen experimentellen Gedichten einen Namen gemacht. Seine größten Erfolge erreichte er mit parodistischen Versen in Wiener Mundart. 1996 erhielt Artmann den Georg-Büchner-Preis.
liebe ratte, komm zu mir aus: ders., Allerleirausch, Rainer Verlag/Verlag Klaus G. Renner, Berlin/München/Salzburg 1993. © 1993 Verlag Klaus G. Renner, Porto / Castiglione del Lago (PG), Italien, früher München

Arnfrid Astel (geb. 1933) wurde in München geboren und studierte Biologie und Literatur. Er arbeitete als Hauslehrer, Lektor und als Leiter der Literaturabteilung des Saarländischen Rundfunks.
Traumkarte für Christine aus: Aber besoffen bin ich von dir – Liebesgedichte, hrsg. von Jan Hans, Rowohlt Taschenbuch Verlag GmbH, Reinbek bei Hamburg 1979. © Arnfrid Astel

Martin Auer (geb. 1951) wurde in Wien geboren, wo er heute auch lebt. Er arbeitete als Musiker, Schauspieler, Kabarettist, Zauberer, Dramaturg und Werbetexter.
Zufall aus: Überall und neben dir – Gedichte für Kinder, hrsg. von Hans-Joachim Gelberg. © 1986 Beltz Verlag, Weinheim und Basel, Programm Beltz & Gelberg, Weinheim

Hugo Ball (1886–1927) studierte Philosophie und Soziologie. Er arbeitete als Dramaturg und war Wegbereiter des expressionistischen Theaters. Während des Ersten Weltkriegs emigrierte er nach Zürich, wo er 1916 die Dada-Bewegung mitbegründete. Aus dieser Zeit stammen seine Lautgedichte.
Karawane; Katzen und Pfauen; Seepferdchen und Flugfische; Wolken aus: ders., Gesammelte Gedichte, hrsg. von Annemarie Schütt-Hennings, Peter Schifferli, VerlagsAG „Die Arche", Zürich 1963

Richard Bletschacher (geb. 1936) wurde in Füssen geboren und lebt in Wien. Er arbeitet als Regisseur an der Wiener Staatsoper. Bletschacher veröffentlichte u. a. Opterntexte, Sprechstücke sowie Gedichte und einen Roman für Kinder.

Neues vom Rumpelstilzchen aus: Überall und neben dir – Gedichte für Kinder, hrsg. von Hans-Joachim Gelberg. © 1986 Beltz Verlag, Weinheim und Basel, Programm Beltz & Gelberg, Weinheim

Bertolt Brecht (1898–1956) war einer der erfolgreichsten Verfasser von Theaterstücken im 20. Jahrhundert. Für viele ist er jedoch noch bedeutender als Lyriker. 1933 floh er vor den Nazis aus Deutschland. Nach seiner Rückkehr aus dem amerikanischen Exil gründete er 1949 zusammen mit seiner Frau Helene Weigel in Berlin das „Berliner Ensemble".
Bitten der Kinder; Der Pflaumenbaum; Liedchen aus alter Zeit; Was ein Kind gesagt bekommt aus: ders., Gesammelte Werke in 20 Bänden, Bd. 9, 10. © 1967 Suhrkamp Verlag, Frankfurt am Main

Clemens Brentano (1778–1842) war einer der wichtigsten Dichter der deutschen Romantik. Außer Gedichten schrieb er auch Märchen. Er führte ein von Sehnsucht getriebenes, ruheloses und zerrissenes Leben.
Wiegenlied aus: ders., Werke, hrsg. von Wolfgang Frühwald, Bernhard Gajek und Friedhelm Kemp, Carl Hanser Verlag, München 1968

Wilhelm Busch (1832–1908) war Maler und Dichter. Er ist durch seine humorvollen, oft aber auch bitterbösen Bildergeschichten wie *Max und Moritz* berühmt geworden.
Fink und Frosch aus: ders., Gesamtausgabe in vier Bänden, hrsg. von Friedrich Bohne, Emil Vollmer Verlag, Wiesbaden

Lewis Carroll (eigentlich: Charles Lutwige Dodgson, 1832–1898) war Dozent für Mathematik und Logik in Oxford. Seine weltberühmten Erzählungen *Alice im Wunderland* und *Alice hinter den Spiegeln* sind Klassiker der Kinderliteratur.
Der Zipferlake aus: ders., Alice hinter den Spiegeln. Aus dem Englischen von Christian Enzensberger. © 1974 Insel Verlag, Frankfurt am Main

Daniil Charms (1905–1942) ist einer der führenden russischen Autoren des 20. Jahrhunderts. Er schrieb kurze absurde Prosastücke und dramatische Szenenfolgen sowie teils humorvolle, teils traurige und böse Gedichte. Unter Stalin wurde sein Werk in der Sowjetunion verboten. Er starb 1942 in Haft.
Variationen aus: ders., Alle Fälle – Szenen Gedichte Prosa. Aus dem Russischen von Peter Urban. © für die deutsche Übersetzung Peter Urban, Grebenhain

Matthias Claudius (1740–1815) aus Wandsbek bei Hamburg war ein volkstümlicher Dichter und Prosaschriftsteller. Seine ganz einfach erscheinenden Gedichte und Lieder sind voll gläubiger Innerlichkeit. Claudius sah die kleinen Dinge der Welt als Spiegel des Großen und Ewigen.
Abendlied; Als der erste Zahn durch war aus: ders., Sämtliche Werke, revidiert, mit Anmerkungen und einer Nachlese vermehrt von Dr. C. Redisch, 14. Auflage, Friedrich Andreas Perthes Aktiengesellschaft, Gotha 1907

Paula (1862–1918) und **Richard Dehmel** (1863–1920) Richard Dehmel war ein bedeutender sozialrevolutionärer Dichter. Zusammen mit seiner Frau Paula setzte er sich für das künstlerische Kinderbuch ein. Sie verfaßten Kindergedichte und gaben Kinderbücher heraus.
Wie Fitzebutze seinen alten Hut verliert aus: dies., Fitzebutze, Insel Verlag, Leipzig 1900

Joseph von Eichendorff (1788–1857) gilt als einer der wichtigsten Dichter der deutschen Romantik. Seine Dichtung ist stark vom Volkslied beeinflußt. Sie spricht von großer Naturverbundenheit. Viele von Eichendorffs Gedichten wurden vertont.
Mondnacht; Schläft ein Lied in allen Dingen; Wem Gott will rechte Gunst erweisen aus: ders., Sämtliche Werke des Freiherrn Joseph von Eichendorff, historisch-kritische Ausgabe, begründet von Wilhelm Kosch und August Sauer, fortgeführt und hrsg. von Hermann Kunisch und Helmut Koopmann, Verlag W. Kohlhammer, Stuttgart, Berlin, Köln 1993

Michael Ende (1929–1995) veröffentlichte Theaterstücke, Lyrik, Romane und Kinderbücher. Als Kinderbuchautor berühmt wurde er durch *Jim Knopf und Lukas, der Lokomotivführer, Die unendliche Geschichte* und *Momo*.
Ein Schnurps grübelt aus: ders., Das Schnurpsenbuch. © 1979 K. Thienemanns Verlag, Stuttgart, Wien, Bern
Ein sehr kurzes Märchen aus: ders., Die Schattennähmaschine. © 1982 K. Thienemanns Verlag, Stuttgart – Wien.

Fred Endrikat (1890–1942) lebte lange in Berlin. Er schrieb originelle Lieder und witzig-spöttische Weisheiten für das Kabarett.
Die Wühlmaus aus: ders., Das große Endrikat-Buch. © 1976 Blanvalet Verlag, München, in der Verlagsgruppe Bertelsmann GmbH

Heinz Erhardt (1909–1979) wurde nach dem Zweiten Weltkrieg als Bühnen- und Filmkomiker bekannt. Er gilt als populärster Vertreter der deutschen Nonsens-Dichtung.
Anhänglichkeit; Der alte Wolf; Der Wurm; Die Augen; Die Made; Die Nase; Die Schnecke; Hund und Herrchen aus:

ders., Das große Heinz-Erhardt-Buch. © 1997 Fackelträger-Verlag, Oldenburg

Theodor Fontane (1819–1898) wurde berühmt durch seine Gesellschaftsromane über die Welt des Berliner und märkischen Adels und Bürgertums. Seine Balladen sind seit hundert Jahren populär.
Herr von Ribbeck auf Ribbeck im Havelland aus: ders., Große Brandenburger Ausgabe, hrsg. von Gotthard Erler, Aufbau-Verlag GmbH, Berlin 1995

Erich Fried (1921–1988) wurde in Wien geboren. Seit 1938 lebte er als Emigrant in London und arbeitete als Hilfsarbeiter, Milchchemiker, Bibliothekar und Glasarbeiter, seit 1946 als freier Schriftsteller. Fried verfaßte Lyrik, Kinderreime und Erzählprosa, und er übersetzte Shakespeare ins Deutsche. Ab Mitte der 60er Jahre wurden Frieds Gedichte zunehmend politisch.
Humorlos aus: ders., Gesammelte Werke. © 1993, 1998 Verlag Klaus Wagenbach, Berlin

Robert Gernhardt (geb. 1937) ist Schriftsteller und Zeichner. 1979 war er Mitbegründer der Satire-Zeitschrift „Titanic". Gernhardt veröffentlichte Bildergeschichten, Satiren, ironische Erzählungen und Gedichte sowie Kinderbücher.
Das Scheitern einer Ballade aus: ders., Gedichte 1954–1994. © 1999 Haffmans Verlag AG, Zürich

Johann Wolfgang Goethe (1749–1832) gilt als größter deutscher Dichter. Mit seinen umfassenden Begabungen, Interessen und Kenntnissen, auch als Staatsmann und Naturwissenschaftler, erlangte er in der europäischen Literatur- und Geistesgeschichte der Neuzeit einen einzigartigen Rang. Goethe schrieb Gedichte, Dramen wie den *Faust* und Romane.
Der Zauberlehrling; Erlkönig; Gefunden; Wandrers Nachtlied; Willkommen und Abschied aus: ders., Sämtliche Werke nach Epochen seines Schaffens, Münchner Ausgabe hrsg. von Karl Richter in Zusammenarbeit mit Heinrich G. Göpfert, Norbert Miller, Gerhard Sauder und Edith Zehm, Carl Hanser Verlag, München 1998

Fritz Graßhoff (1913–1997) ist Maler und Schriftsteller. Er veröffentlichte Gedichtbände, Song- und Balladenbücher, die er auch selbst illustrierte.
Daten in Nebensätzen aus: ders., Bilderreiches Haupt & (G)liederbuch. © 1970 Verlag Kiepenheuer & Witsch, Köln

Jacob (1785–1863) und **Wilhelm Grimm** (1786–1859) waren von der romantischen Bewegung beeinflußt. Sie interessierten sich für das Volkstümliche und Heimatgebundene in der Dichtung, sammelten die Sagen und Märchen, die sich die Menschen erzählten, und schrieben sie auf.

Durch die Veröffentlichung dieser *Kinder- und Hausmärchen* sowie durch das *Deutsche Wörterbuch* wurden die Brüder Grimm berühmt.

Das Hausgesinde aus: dies., Kinder- und Hausmärchen, Jubiläumsausgabe zum 200. Geburtstag der Brüder Grimm, Ausgabe letzter Hand mit den originalen Anmerkungen der Brüder Grimm, hrsg. von Heinz Rölleke, Philip Reclam jun., Stuttgart 1985/86

Josef Guggenmos (geb. 1922) wurde im Allgäu geboren, wo er heute auch lebt. Er veröffentlichte Übersetzungen, Lyrik, Erzählungen und Kinderbücher. Guggenmos wurde vor allem durch seine Kindergedichte bekannt. 1968 erhielt er den Deutschen Jugendbuchpreis, 1993 den Deutschen Jugendliteraturpreis für sein Gesamtwerk.

Katzen kann man alles sagen aus: ders., Katzen kann man alles sagen. © 1997 Beltz Verlag, Weinheim und Basel, Programm Beltz & Gelberg, Weinheim

Stern aus: Überall und neben dir – Gedichte für Kinder, hrsg. von Hans-Joachim Gelberg. ©1986 Beltz Verlag, Weinheim und Basel, Programm Beltz & Gelberg, Weinheim

Hans Adolf Halbey (geb. 1922) veröffentlichte u.a. Bilderbücher und Kindergedichte.

Schimpfonade aus: Überall und neben dir – Gedichte für Kinder, hrsg. von Hans-Joachim Gelberg. © 1986 Beltz Verlag, Weinheim und Basel, Programm Beltz & Gelberg, Weinheim

Wolfram Hänel (geb. 1956) studierte Deutsch und Englisch in Berlin und arbeitete am Theater. Er verfaßte Theaterstücke sowie Geschichten und Romane für Kinder.

Übers Dichten © Wolfram Hänel

Heinrich Heine (1797–1856) gilt als bedeutendster deutscher Lyriker in der Übergangszeit zwischen Romantik und Realismus. Er schrieb Natur- und Liebesgedichte, Balladen, politische Gedichte sowie satirische Versgeschichten und Erzählungen. Heine kannte die romantische Gemütslage voller Sentimentalität, Sehnsucht und Weltschmerz noch sehr gut. Er hielt sie jedoch für überkommen und der Realität nicht mehr angemessen, und in vielen seiner Gedichte verspottet und ironisiert er sie.

Belsazar; Die schlesischen Weber; Ein Jüngling liebt ein Mädchen; Ich weiß nicht, was soll es bedeuten aus: ders., Sämtliche Werke, Düsseldorfer Ausgabe, in Verbindung mit dem Heinrich-Heine-Institut, hrsg. von Manfred Windfuhr, Hoffman und Campe, Hamburg 1997

Jakob van Hoddis (eigentlich: Hans Davidson, 1887–1942) war ein einflußreicher Lyriker des frühen Expressionismus. Er führte ein unstetes Wanderleben zwischen Paris, Berlin und München. 1912 begann eine Geisteskrankheit, von der er sich nie wieder erholte. 1942 wurde er von den National-

sozialisten ermordet. Van Hoddis schrieb teils schwermütige, prophetisch-visionäre, teils sarkastisch-ironische Gedichte vom Weltende.

Weltende aus: ders., Dichtungen und Briefe, hrsg. von Regina Nörtemann. © 1987 Arche Verlag AG, Raabe & Vitali, Zürich

Friedrich Hoffmann (1914–1974) veröffentlichte Kindergedichte.

Spatzensalat aus: Überall und neben dir – Gedichte für Kinder, hrsg. von Hans-Joachim Gelberg. © 1986 Beltz Verlag, Weinheim und Basel, Programm Beltz & Gelberg, Weinheim

August Heinrich Hoffmann von Fallersleben (1798–1874) schrieb in der Zeit um die deutsche Revolution von 1848 freiheitlich-patriotische, oft sehr nationalistische Gedichte, u.a. das Deutschlandlied. Er verfaßte aber auch volksliedhafte und volkstümlich gewordene Trink-, Liebes- und Kinderlieder (z.B. „Kuckuck", „Alle Vögel sind schon da").

Wettstreit aus: ders., Werke, hrsg. und mit Lebensbildern versehen von Augusta Weldler-Steinberg, Deutsches Verlagshaus Bong & Co., Berlin 1912

Ernst Jandl (1925–2000) war Gymnasiallehrer in Wien. Berühmt wurde er durch seine experimentellen Sprechgedichte, in denen es vor allem auf den Klang der Worte ankommt. Klang- und Geräuschpoesie hat Jandl auch im Hörspiel und Drama eingesetzt.

doppelt so weit; fünfter sein; lichtung; ottos mops aus: ders., Poetische Werke in 10 Bänden, hrsg. von Klaus Siblewski. © 1997 Luchterhand Literaturverlag GmbH, München

Hanna Johansen (geb. 1939) lebt in der Nähe von Zürich. Sie veröffentlichte Übersetzungen, Erzählungen und Romane sowie Geschichten und Gedichte für Kinder.

Ein Krokodil; Hexengedicht aus: Überall und neben dir – Gedichte für Kinder, hrsg. von Hans-Joachim Gelberg. © 1986 Beltz Verlag, Weinheim und Basel, Programm Beltz & Gelberg, Weinheim

Erich Kästner (1899–1974) begann sein literarisches Werk mit leichter, satirischer Gebrauchslyrik und Kabarettgedichten, in denen er Heuchelei, Spießermoral, Militarismus und Faschismus anprangert. Diese moralische Haltung spricht auch aus seinen späteren Romanen. Bei Kindern bekannt wurde Kästner durch *Emil und die Detektive, Pünktchen und Anton* und *Das doppelte Lottchen*.

Das verhexte Telefon aus: ders., Gesammelte Schriften in 7 Bänden, Bd. 7. © 1959 Atrium-Verlag, Zürich

Susanne Kilian (geb. 1940) wurde in Berlin geboren und lebt heute in Eltville im Rheingau. Sie veröffentlichte Erzählungen und Texte für Kinder.

Kindsein ist süß? aus: Überall und neben dir – Gedichte für Kinder, hrsg. von Hans-Joachim Gelberg. © 1986 Beltz Verlag, Weinheim und Basel, Programm Beltz & Gelberg, Weinheim

Rudyard Kipling (1865–1936) wurde in Bombay geboren und lebte lange Zeit in Indien. Neben Gedichten schrieb der Engländer Novellen und Kurzgeschichten mit oft großartigen Naturbeschreibungen, v. a. der indischen Dschungellandschaft. Berühmt wurde Kipling durch seine beiden Dschungelbücher. 1907 erhielt er den Nobelpreis für Literatur.
Es war einmal ein Mann aus Peru aus: ders., Limericks & Clerishews, hrsg. und nachgedichtet von Jürgen Dahl. © 1981 Langewiesche-Brandt, Ebenhausen bei München

August Kopisch (1799–1853) war Maler und Dichter. Mit seiner Vorliebe für Sagen, Märchen und Schwänke verfaßte er humorvolle und volkstümliche Lieder, die vielfach vertont wurden. Kopisch betätigte sich auch als Dramatiker, Novellist und Übersetzer aus dem Italienischen.
Die Heinzelmännchen aus: Meyer's Groschen-Bibliothek der Deutschen Klassiker. Eine Anthologie in 300 Bändchen, zweihundertundeinundneunzigstes Bändchen, Kopisch und Waiblinger, Bibliographisches Institut, Hildburghausen ca. 1845

Michail Krausnick (geb. 1943) wurde in Berlin geboren und lebt heute in Neckargemünd. Er veröffentlichte Filmdrehbücher, Hörspiele, Theaterstücke und Lyrik sowie Kinder- und Jugendbücher.
Hast du was – dann bist du was aus: Überall und neben dir – Gedichte für Kinder, hrsg. von Hans-Joachim Gelberg. © 1986 Beltz Verlag, Weinheim und Basel, Programm Beltz & Gelberg, Weinheim

James Krüss (1926–1997) war ein sehr beliebter Kinder- und Jugendbuchautor. Er verfaßte Bilderbuch- und Nonsens-Verse, Fabeln, Hörspiele sowie realistische, surrealistische und sozialkritische Erzählungen und Romane. 1959 und 1963 erhielt er den Deutschen Jugendbuchpreis, 1968 die Hans-Christian-Andersen-Medaille.
Wenn die Möpse Schnäpse trinken aus: ders., Der wohltemperierte Leierkasten © 1961 C. Bertelsmann Jugendbuch Verlag München, in der Verlagsgruppe Bertelsmann GmbH

Michael Kumpe (geb. 1946) lebt in der Nähe von Bremen. Er veröffentlichte Texte in verschiedenen Anthologien.
Schneewittchen aus: Überall und neben dir – Gedichte für Kinder, hrsg. von Hans-Joachim Gelberg. © 1986 Beltz Verlag, Weinheim und Basel, Programm Beltz & Gelberg, Weinheim

Edward Lear (1812–1888) war Zeichner, Maler und Illustrator. Er führte ein unstetes Wanderleben und bereiste Europa, Indien und den Vorderen Orient. Der Engländer verfaßte rhythmische, wortschöpferische und phantasievolle Nonsens-Gedichte und -Balladen. Er gilt als eigentlicher Schöpfer der Limericks.
Es gab einen Herrn, dessen Nase; Es gab einen Herren mit Flöte; Eule und Kätzchen. © für die Übersetzung Salah Naoura
War mal ein Mann mit 'nem Vollbart. © für die Übersetzung Edmund Jacoby

Hans Georg Lenzen (geb. 1921) lebt in der Nähe von Düsseldorf. Er veröffentlichte Übersetzungen, Gedichte, Märchen und Kinderbücher.
Tiger-Jagd aus: Überall und neben dir – Gedichte für Kinder, hrsg. von Hans-Joachim Gelberg. © 1986 Beltz Verlag, Weinheim und Basel, Programm Beltz & Gelberg, Weinheim

Hans Manz (geb. 1931) lebt in Zürich. Er veröffentlichte Übersetzungen, Lyrik, Dialekttexte, Erzählungen, einen Roman, Sprach- und Kinderbücher. Er erhielt den Preis der Schweizer Schillerstiftung und 1993 den Österreichischen Staatspreis für Lyrik.
Achterbahnträume aus: Überall und neben dir – Gedichte für Kinder, hrsg. von Hans-Joachim Gelberg. © 1986 Beltz Verlag, Weinheim und Basel, Programm Beltz & Gelberg, Weinheim

Christian Morgenstern (1871–1914) wurde weniger bekannt durch seine ernste Liebes- und Seelenlyrik als durch seine witzigen Verse, die voller Ironie und Tiefsinn sind. Morgenstern schrieb auch Aphorismen und übersetzte skandinavische Literatur.
Das ästhetische Wiesel; Das Gebet; Das große Lalula; Der Lattenzaun; Der Schnupfen; Der Werwolf; Die drei Spatzen; Drei Hasen; Fisches Nachtgesang; Möwenlied; Wie sich das Galgenkind die Monatsnamen merkt aus: ders., Sämtliche Dichtungen in 3 Abteilungen, (Neuausgabe und Nachwort von Heinrich O. Poskauer) Zbinden Verlag, Basel 1978

Christine Nöstlinger (geb. 1936) lebt in Wien und auf dem Land in Österreich. Sie veröffentlichte Drehbücher zu Fernsehfilmen, Mundarttexte, Gedichte, Erzählungen, Romane sowie zahlreiche Kinder- und Jugendbücher. 1973 erhielt sie den Deutschen Jugendbuchpreis, 1984 die Hans-Christian-Andersen-Medaille.
Mein Vater; Meine Mutter aus: Überall und neben dir – Gedichte für Kinder, hrsg. von Hans-Joachim Gelberg. © 1986 Beltz Verlag, Weinheim und Basel, Programm Beltz & Gelberg, Weinheim

Ortfried Pörsel (geb. 1932) lebt in der Nähe von Bremerhaven. Er veröffentlichte Gedichte, Liedtexte, Spiele und Kindertexte.

Kennst du's? aus: Überall und neben dir – Gedichte für Kinder, hrsg. von Hans-Joachim Gelberg. © 1986 Beltz Verlag, Weinheim und Basel, Programm Beltz & Gelberg, Weinheim

Christa Reinig (geb. 1926) lebt in München. Sie veröffentlichte Essays, Erzählungen, Romane sowie ein Kinderbuch.

Arche Noah aus: dies., Sämtliche Gedichte. © 1986 Eremiten-Presse, Düsseldorf

Rainer Maria Rilke (1875–1926) gilt als der wichtigste deutschsprachige Lyriker der ersten Hälfte des 20. Jahrhunderts.

Der Panther aus: ders., Sämtliche Werke, hrsg. vom Rilke-Archiv in Verbindung mit Ruth Sieber-Rilke, besorgt durch Ernst Zinn, Insel Verlag, Frankfurt am Main 1955

Joachim Ringelnatz (eigentlich: Hans Bötticher, 1883–1934) führte, nachdem er dem Gymnasium in Leipzig entlaufen war, ein Abenteuerleben u. a. als Schiffsjunge, Bibliothekar und Flieger. Er war Hausdichter im Münchner Kabarett „Simplizissimus". Später trat er im Kabarett „Schall und Rauch" in Berlin auf, wo er seine Gedichte im Moritaten- und Bänkelsängerton vortrug. Außerdem schilderte Ringelnatz sein abenteuerliches Leben in autobiographischen Werken und betätigte sich als Maler.

Arm Kräutchen; Bist du schon auf der Sonne gewesen?; Bumerang; Das Hexenkind; Die Ameisen; Drüben am Walde; Ein männlicher Briefmark erlebte; Geburtstagsgruß; Gedicht in Bi-Sprache; Himmelsklöße; Im Park; Kindergebetchen aus: ders., Das Gesamtwerk in sieben Bänden, hrsg. von Walter Pape. © 1994 Diogenes Verlag AG, Zürich

Eugen Roth (1895–1976) arbeitete zwischen 1927 und 1933 als Redakteur der „Münchner Neuesten Nachrichten", dann als freier Schriftsteller in München. In der Tradition von Wilhelm Busch und Christian Morgenstern schrieb er hintergründig-humorvolle Gedichte über die menschlichen Unzulänglichkeiten.

Geschütteltes aus: ders., Rezepte vom Wunderdoktor, Carl Hanser Verlag, München, 1986. © Dr. Eugen Roth Erben

Friedrich Rückert (1788–1866) war ein spätromantischer Lyriker und sprachgewandter Übersetzer. Er verfaßte auch Kinderlieder und -märchen sowie historische Dramen.

Ein Jahr ist nun geschwunden aus: Rückert-Nachlese – Sammlung der zerstreuten Gedichte und Übersetzungen Friedrich Rückerts, hrsg. von Leopold Hirschberg, Gesellschaft der Bibliophilen, Weimar 1910

Kurt Schwitters (1887–1948) gilt als wichtiger Anreger der modernen Kunst. Der Maler und Dichter ist aus der Dada-Bewegung hervorgegangen. Die unwichtigsten Gegenstände des Alltags sollten nach seiner Auffassung ebenfalls in die Kunst einbezogen werden. Dies ist auch der Hintergrund für Schwitters' berühmte Text-Bild-Collagen.

An Anna Blume aus: ders., Anna Blume und ich. Die gesammelten Anna-Blume-Texte, hrsg. von Ernst Schwitters. © 1965, 1987, 1996 Arche Verlag AG, Zürich-Hamburg

Heinrich Seidel (1842–1906) zeichnete in seinen Gedichten und Erzählungen optimistisch-humorvolle Idyllen aus dem bürgerlichen Klein- und Vorstadtleben.

Das Huhn und der Karpfen aus: ders., Gesammelte Werke, J. G. Cotta'sche Verlagsanstalt, Hermann Klemm AG, Berlin-Grunewald

Theodor Storm (1817–1888) aus Husum zählt zu den wichtigen Vertretern eines poetischen Realismus in Deutschland. Seine Lyrik wie auch seine Novellen sind bis heute lebendig geblieben. Immer wiederkehrende Themen und Motive Storms sind seine norddeutsche Heimat mit ihrer zuweilen unheimlich-dämonischen Natur.

Knecht Ruprecht; Von Katzen aus: ders., Sämtliche Werke, Verlag von Georg Westermann, Braunschweig 1899

Karl Valentin (eigentlich: Valentin Ludwig Fey, 1882–1948) war Münchner Schauspieler und Volkskomiker. Zusammen mit seiner Partnerin Lisl Karlstadt trat er in Kneipen, Kabaretts und auf Kleinkunstbühnen auf. Seine Stegreifkomödien verbinden hintergründig-absurden Unsinn mit Zeitkritik und grotesken Wortspielen.

Das futuristische Couplet aus: ders., Gesammelte Werke in einem Band. © 1985 Piper Verlag GmbH, München

Rudolf Otto Wiemer (1905–1998) war Lehrer, Bibliothekar und Puppenspieler, bevor er ab 1962 als freier Schriftsteller arbeitete. Er verfaßte Gedichte, Romane, Erzählungen sowie Bücher und Theaterstücke für Kinder.

Floskeln aus: ders., Beispiele zur deutschen Grammatik. © 1971 Wolfgang Fietkau Verlag, Kleinmachnow

Frantz Wittkamp (geb. 1943) veröffentlichte Gedichte, Bilderbuchtexte, Kinderbücher sowie Illustrationen.

Gestern; Warum sich Raben streiten aus: Überall und neben dir – Gedichte für Kinder, hrsg. von Hans-Joachim Gelberg. © 1986 Beltz Verlag, Weinheim und Basel, Programm Beltz & Gelberg, Weinheim

Hildegard Wohlgemuth (1917–1994) veröffentlichte Lyrik, Lieder, Erzählungen und Kinderbücher.

Drei Damen gehen in eine Konditorei aus: Geh und spiel mit dem Riesen – Erstes Jahrbuch der Kinderliteratur, hrsg. von Hans-Joachim Gelberg. © 1971 Beltz Verlag, Weinheim und Basel, Programm Beltz & Gelberg, Weinheim

Dieter Wyss (geb. 1923) ist Psychologe, Anthropologe und Lyriker.
Die polizei © Angela Wyss

Der Verlag dankt allen Autoren und Verlagen für die freundliche Genehmigung zum Abdruck. Leider war es uns nicht in allen Fällen möglich, die Rechteinhaber ausfindig zu machen; alle Ansprüche bleiben gewahrt.

Die anonymen Gedichte wurden vor allem den folgenden Bänden entnommen:

Allerleirauh – Viele schöne Kinderreime, hrsg. von Hans Magnus Enzensberger, Insel Verlag, Frankfurt am Main 1974
Die Wundertüte – Alte und neue Gedichte für Kinder, hrsg. von Heinz-Jürgen Kliewer, Philipp Reclam jun., Stuttgart 1989
Peter Rühmkorf: **Über das Volksvermögen** – Exkurse in den literarischen Untergrund, Rowohlt Taschenbuch Verlag, Reinbek bei Hamburg 1995

VERZEICHNIS DER GEDICHTE

Die Gedichtüberschriften sind gerade,
die Gedichtanfänge *kursiv* gesetzt.